Éditrice : Caty Bérubé

Directrice de production : Julie Doddridge

Chef d'équipe rédaction/révision : Isabelle Roy
Chef d'équipe infographie : Lise Lapierre
Chef cuisinier : Richard Houde

Coordonnatrice à l'édition : Chantal Côté
Auteurs : Caty Bérubé, Richard Houde, Annie Lavoie, Fernanda Machado Gonçalves et Raphaële St-Laurent Pelletier.
Réviseure : Raphaëlle Mercier-Tardif
Concepteurs graphiques : Julie Auclair, Paul Francœur, Marie-Christine Langlois, Ariane Michaud-Gagnon et Claudia Renaud.
Infographiste Web et imprimés : Mélanie Duguay
Spécialiste en traitement d'images et calibration photo : Yves Vaillancourt
Photographes : Sabrina Belzil, Rémy Germain et Martin Houde.
Stylistes culinaires : Louise Bouchard, Laurie Collin et Christine Morin.

Directeur de la distribution : Marcel Bernatchez
Distribution : Éditions Pratico-Pratiques et Messageries ADP.

Impression : Solisco

Dépôt légal : 1er trimestre 2014
Bibliothèque et Archives nationales du Québec
Bibliothèque et Archives Canada
ISBN 978-2-89658-618-9

Gouvernement du Québec - Programme de crédit d'impôt pour l'édition de livres - Gestion SODEC

1685, boulevard Talbot, Québec (QC) G2N 0C6
Tél. : 418 877-0259. Sans frais : 1 866 882-0091
Téléc. : 418 849-4595
www.pratico-pratiques.com

Commentaires et suggestions : info@pratico-pratiques.com

À l'érable

Délices
sucrés-salés

Table des matières

Mes plaisirs gourmands
Joyau de la table

Purs bijoux du terroir québécois, les produits de l'érable sont sortis de l'érablière pour s'inviter dans nos menus de tous les jours. Aliments phares de notre identité culinaire, ces derniers apportent une saveur et une couleur bien particulière à nos mets. Pas étonnant de voir plusieurs chefs, boulangers, brasseurs ou pâtissiers d'ici rivaliser de créativité pour les mettre en valeur ! Il faut dire que l'on est bien loin de l'époque où l'on ne s'en servait que pour sucrer crêpes, gaufres, yogourt et compagnie.

Très présents dans les desserts et autres petites douceurs, le sirop d'érable et ses dérivés ont aussi une place de choix dans les plats de poisson, de fruits de mer, de viande et de volaille. Entre vous et moi, y a-t-il plus savoureux mariage que celui du sucré et du salé ? Imaginez : un filet de porc aux oignons et pommes caramélisées à l'érable, des brochettes de poulet au caramel d'érable et gingembre ou encore un saumon glacé à l'érable et vinaigre balsamique…

Pour découvrir d'autres mets au bon goût d'érable, tournez les pages et puisez parmi les 100 meilleures recettes testées et approuvées par l'équipe de *Les plaisirs gourmands de Caty*. De l'entrée au dessert, de purs délices qui ne manqueront pas de vous mettre l'eau (d'érable !) à la bouche.

Gâtez-vous !

Caty

Plaisir sucré à l'état pur

Avec ses arômes uniques, l'érable constitue une richesse de notre terroir qui se décline en plusieurs produits inégalables. Mais il ne faut surtout pas limiter son utilisation aux repas de cabane à sucre! Depuis plusieurs années, l'or liquide s'est taillé une place de choix dans toutes les sphères de la cuisine, tant dans les plats du quotidien que dans la gastronomie internationale.

Qu'on l'emploie pour assaisonner entrées, potages, viande, poisson, fruits de mer ou même pour relever les mets d'influence asiatique, l'érable se marie à merveille à une foule de parfums. Avec un pouvoir sucrant supérieur à celui du sucre raffiné, il permet d'utiliser une quantité moindre pour aromatiser nos plats de sa saveur enivrante. En plus de leurs propriétés antioxydantes, les produits d'érable pur à 100% présentent l'avantage d'être le fruit de productions locales, donc d'avoir peu voyagé avant de trouver refuge au creux de notre assiette!

Une production d'envergure

Produit 100 % naturel, sans colorant ni additifs, l'érable provient de la sève de l'érable à sucre, également désigné par l'appellation latine *Acer saccharum*. Il est composé à 97 % d'eau et à 3 % de sucre naturel. Bien que les circonstances de sa découverte demeurent inconnues, on reconnaît les Amérindiens comme étant les précurseurs de l'utilisation de ce produit plein de vertus. La révélation de ce secret bien sucré à l'époque de la colonisation allait donner le ton à une tradition qui se perpétue de génération en génération et qui fait la fierté des Québécois.

Saviez-vous que le Québec est le plus important producteur et exportateur mondial de sirop d'érable ? En 2013, produit par quelque 13 500 producteurs acéricoles, le sirop d'érable du Québec constituait 91 % de la production canadienne et 71,3 % de la production mondiale. Chaque année, environ 85 % des produits de l'érable sont exportés dans une cinquantaine de pays, notamment aux États-Unis, au Japon et en Allemagne. Cette industrie génère un PIB d'environ 611 millions de dollars. Pas étonnant que l'érable soit un ingrédient phare de la cuisine du XXIe siècle ! Outre le traditionnel sirop et la tire, il se décline désormais en une panoplie de produits fins tels flocons, pépites, miel, eau, beurre, gelée, boissons alcoolisées, vinaigrettes, etc.

Choisir son sirop d'érable

Terminé le casse-tête pour choisir son sirop d'érable parmi les grades AA, A, B, C et D ! Depuis 2013, suivant le classement des trois autres provinces canadiennes et des 14 états américains producteurs, seul le sirop A se retrouve sur nos tablettes. Quatre catégories sont désignées selon la couleur et la saveur, qui varient au cours de la saison : doré au goût délicat, ambré au goût riche, foncé au goût robuste ou très foncé au goût prononcé. Les sirops qui ne sont pas classés A sont réservés à une utilisation industrielle. On peut également se procurer du sirop d'érable biologique, qui représente 20 % de la production au Québec.

Conservation maximisée

Le sirop d'érable se conserve plusieurs années dans son contenant d'origine, à température ambiante. Une fois ouvert, il se préserve entre 3 et 6 mois au réfrigérateur. Il est recommandé d'utiliser un récipient hermétiquement fermé, idéalement en verre foncé ou en céramique, afin d'éviter son évaporation. Vous ne consommez que rarement du sirop d'érable ? Évitez sa cristallisation en le congelant. Vous pourrez ainsi conserver votre sirop à plus long terme. En effet, avec une bonne densité en sucre, le sirop d'érable ne gèle pas. Notez que pour une conservation optimale, il est déconseillé d'exposer le sirop d'érable à la lumière ou de le congeler dans une bouteille en verre.

Un superaliment

Le sirop d'érable comporte plusieurs atouts selon des recherches menées par une équipe de chercheurs de l'Université du Rhode Island. Cet élixir renferme **54 composés antioxydants** qui favoriseraient la prévention du diabète ainsi que de certains cancers et maladies inflammatoires. Il contient également des **polyphénols**, qui aideraient à contrôler la glycémie. Concrètement, 100 ml de sirop d'érable en procurent la même quantité que 150 ml de brocoli cuit ou que 250 ml (1 tasse) de thé vert. L'érable renferme également une nouvelle molécule, baptisée « québécol » en l'honneur du Québec, qui serait bénéfique pour la santé.

Une étude menée à l'Université Laval indique aussi que le sirop d'érable a un **indice glycémique bas** en comparaison avec d'autres agents sucrants.

Si l'on ajoute à cela qu'il regroupe plusieurs **vitamines et minéraux**, on constate qu'il appartient à la catégorie des superaliments ! En effet, 60 ml de sirop d'érable fournissent 100 % de l'apport quotidien en manganèse, 37 % en riboflavine, 18 % en zinc, 7 % en magnésium ainsi que 5 % en calcium et en potassium.

Sans oublier qu'il est un allié de taille pour les sportifs ! Il fournit des **glucides simples** qui donnent de l'énergie pendant l'exercice ainsi que des minéraux qui favorisent la récupération des muscles après l'effort, qui régulent l'hydratation et qui agissent sur la contraction musculaire. Un carburant idéal pour concocter vos cocktails énergisants !

Pour remédier à la cristallisation

Lorsque le sirop d'érable cristallise, ajoutez de 10 à 15 ml d'eau par 250 ml de sirop et faites-le chauffer à feu très doux. Le liquide étant cristallisé, il se transvide difficilement dans une casserole. Il est donc préférable de déposer le contenant dans la partie supérieure d'un bain-marie et de le laisser chauffer doucement jusqu'à la dissolution des cristaux, sans remuer. Si le sirop se trouve dans une conserve en métal, on utilise la même technique ou encore on la place au four à 90 °C (200 °F).

Tire maison, comme à la cabane

Voici les trois étapes à suivre pour réussir une tire maison digne de celle des meilleures cabanes à sucre.

1 Dans une casserole à fond épais, faire bouillir le contenu de 1 boîte de sirop d'érable de 540 ml. Laisser mijoter environ 20 minutes, jusqu'à ce que la température du sirop atteigne 114 °C (238 °F) sur un thermomètre à bonbons. Retirer du feu.

2 À l'aide d'un mélangeur électrique, concasser finement quelques glaçons.

3 Dans un bac, verser la glace concassée. Étaler le sirop chaud en rubans. Dès que la tire fige, l'enrouler sur un bâtonnet.

Sucre ou sirop ?

Saviez-vous qu'il est possible de remplacer le sucre par une quantité égale de sirop d'érable ? Avec ses propriétés et son goût raffiné, il ne peut qu'enrichir nos mets sucrés ! Il faut toutefois réduire le volume de liquide dans la recette (eau, lait, jus de fruits, etc.). Voici un tableau d'équivalence qui vous servira de guide. Vous pourriez également remplacer le sucre raffiné par une quantité égale de sucre d'érable, sans devoir diminuer la dose de liquide.

Dans votre recette :	
Sucre à remplacer par du sirop d'érable	Liquide à retirer
60 ml (¼ de tasse)	15 ml (1 c. à soupe)
125 ml (½ tasse)	30 ml (2 c. à soupe)
180 ml (¾ de tasse)	45 ml (3 c. à soupe)
250 ml (1 tasse)	60 ml (¼ de tasse)
375 ml (1 ½ tasse)	90 ml (6 c. à soupe)
500 ml (2 tasses)	125 ml (½ tasse)

Sucré salé

Que l'on soit amateur de produits salés
ou gourmand à la dent sucrée, rien ne vaut
une riche combinaison des deux goûts !
Les effluves envoûtants de l'érable dans
un mets salé suffisent à mettre l'eau
à la bouche. Bonheur gustatif garanti !

Mijoté de bœuf
à la bière et érable

Préparation : 25 minutes — **Cuisson :** 2 heures 30 minutes — **Quantité :** 4 portions

755 g	(1 ⅔ lb) de cubes de bœuf à ragoût
30 ml	(2 c. à soupe) d'huile de canola
16	oignons perlés
10	tranches de bacon émincées
30 ml	(2 c. à soupe) de farine
125 ml	(½ tasse) de sirop d'érable
1	bouteille de bière blonde de 341 ml
500 ml	(2 tasses) de bouillon de bœuf
45 ml	(3 c. à soupe) de pâte de tomates
3	carottes coupées en morceaux
1	feuille de laurier
1	tige de thym
	Sel et poivre au goût

—

1. Préchauffer le four à 180°C (350°F).

2. Assécher la viande à l'aide de papier absorbant. Dans une casserole allant au four ou dans une cocotte, chauffer l'huile à feu moyen-vif. Faire dorer quelques cubes de viande à la fois, de 2 à 3 minutes. Déposer les cubes dans une assiette. Retirer l'excédent de gras de la casserole.

3. Dans la même casserole, faire revenir les oignons perlés avec le bacon de 2 à 3 minutes à feu moyen.

4. Remettre la viande dans la casserole, puis saupoudrer de farine. Remuer et verser le sirop d'érable, la bière et le bouillon. Porter à ébullition en raclant les parois de la casserole à l'aide d'une cuillère de bois afin de détacher les sucs de cuisson.

5. Ajouter le reste des ingrédients. Couvrir et cuire au four 2 heures 30 minutes, jusqu'à ce que la viande se défasse à la fourchette.

—

J'aime aussi...

À la mijoteuse

Déposer les carottes dans la mijoteuse. Saisir la viande en suivant l'étape 2. Transférer les cubes dans la mijoteuse. Suivre l'étape 3, puis saupoudrer de farine. Remuer et verser 60 ml (¼ de tasse) de sirop d'érable, 160 ml (⅔ de tasse) de bière et 375 ml (1 ½ tasse) de bouillon de bœuf. Porter à ébullition en raclant les parois de la casserole à l'aide d'une cuillère de bois. Ajouter le reste des ingrédients, puis transférer la préparation dans la mijoteuse. Couvrir et cuire à faible intensité de 8 à 10 heures, jusqu'à ce que la viande se défasse à la fourchette.

Pancakes au bacon et cheddar

Préparation : 35 minutes — **Quantité :** de 4 à 6 portions (16 pancakes)

8	tranches de bacon coupées en dés
500 ml	(2 tasses) de farine
15 ml	(1 c. à soupe) de poudre à pâte
5 ml	(1 c. à thé) de bicarbonate de soude
1,25 ml	(¼ de c. à thé) de sel
500 ml	(2 tasses) de lait de beurre
2	œufs
30 ml	(2 c. à soupe) de sirop d'érable
30 ml	(2 c. à soupe) de ciboulette hachée
15 ml	(1 c. à soupe) de beurre fondu
125 ml	(½ tasse) de cheddar râpé
15 ml	(1 c. à soupe) d'huile de canola

Pour garnir :

250 ml	(1 tasse) de cheddar râpé
	Sirop d'érable au goût

—

1. Déposer les dés de bacon entre deux feuilles de papier absorbant. Cuire de 2 à 3 minutes au micro-ondes à haute intensité.

2. Dans un grand bol, mélanger les ingrédients secs et former un puits au centre.

3. Dans un autre bol, fouetter le lait de beurre avec les œufs, le sirop, la ciboulette et le beurre fondu. Verser la préparation liquide dans le puits des ingrédients secs. Incorporer graduellement les ingrédients liquides en fouettant, puis mélanger jusqu'à l'obtention d'une pâte lisse. Incorporer le cheddar et les dés de bacon.

4. Préchauffer le four à 120 °C (250 °F).

5. Dans une poêle, chauffer l'huile à feu doux-moyen. Verser 80 ml (⅓ de tasse) de préparation par pancake. Cuire 1 minute, jusqu'à ce que de petites bulles se forment à la surface. Retourner et cuire 30 secondes. Déposer les pancakes sur une plaque de cuisson et réserver au four. Répéter l'opération avec le reste de la pâte.

6. Au moment de servir, garnir chacune des portions de fromage râpé et de sirop d'érable.

—

LE SAVIEZ-VOUS ?
—

Qu'est-ce que le lait de beurre ?

Cet aliment faible en gras (0,25 % M.G.) également appelé « babeurre » était autrefois obtenu en barattant du beurre. Aujourd'hui, il est fait de lait écrémé auquel on ajoute une culture bactérienne ; il se distingue par son goût légèrement plus acidulé que celui du lait ordinaire. On le trouve au rayon des produits laitiers du supermarché en format de 1 litre. Il est idéal pour concocter des pancakes légers et moelleux, mais il peut aussi servir à cuisiner de délicieux muffins, potages ou vinaigrettes.

Rôti de palette moutarde et érable

Préparation : 20 minutes — **Cuisson :** 3 heures 30 minutes — **Quantité :** de 6 à 8 portions

1	rôti de palette de bœuf avec os de 2 kg (4 ½ lb)
30 ml	(2 c. à soupe) d'huile d'olive
3	oignons coupés en rondelles épaisses

Pour le bouillon :

250 ml	(1 tasse) de bouillon de bœuf
125 ml	(½ tasse) de sirop d'érable
30 ml	(2 c. à soupe) de moutarde de Dijon
10 ml	(2 c. à thé) de thym haché
5 ml	(1 c. à thé) de romarin haché
	Sel et poivre au goût

—

1. Préchauffer le four à 180 °C (350 °F).

2. Dans un bol, fouetter les ingrédients du bouillon.

3. Parer le rôti en retirant l'excédent de gras. Dans une casserole à fond épais ou dans une cocotte, chauffer l'huile à feu moyen. Saisir le rôti 2 minutes de chaque côté. Déposer le rôti dans une assiette. Retirer l'excédent de gras de la casserole.

4. Verser le bouillon dans la casserole. Porter à ébullition en raclant les parois de la casserole à l'aide d'une cuillère de bois.

5. Remettre le rôti dans la casserole. Répartir les rondelles d'oignons sur le dessus et autour de la viande. Couvrir et cuire au four 3 heures 30 minutes, jusqu'à ce que la viande se défasse facilement à la fourchette.

—

J'aime avec...

Pommes de terre farcies gratinées

Déposer de 6 à 8 pommes de terre moyennes avec la peau dans une casserole d'eau froide salée. Porter à ébullition, puis cuire de 18 à 20 minutes. Égoutter. Couper le tiers supérieur des pommes de terre, puis les évider en prenant soin de ne pas percer la pelure. Mélanger la chair avec 8 tranches de bacon cuites hachées, 3 oignons verts hachés et 60 ml (¼ de tasse) de crème sure. Saler et poivrer. Garnir les pommes de terre évidées avec le mélange. Parsemer de 125 ml (½ tasse) de cheddar râpé. Déposer dans un plat de cuisson et faire gratiner au four de 15 à 20 minutes à 205 °C (400 °F).

Bœuf braisé au sirop d'érable et vinaigre balsamique

Préparation: 20 minutes — **Cuisson:** 2 heures 30 minutes — **Quantité:** 4 portions

30 ml	(2 c. soupe) d'huile d'olive
1	rôti de côtes croisées de bœuf désossé de 755 g (1 ⅔ lb)

Pour la sauce:

250 ml	(1 tasse) de bouillon de bœuf
125 ml	(½ tasse) de sirop d'érable
80 ml	(⅓ de tasse) de vinaigre balsamique
80 ml	(⅓ de tasse) de sauce soya
10 ml	(2 c. à thé) d'ail haché
1	oignon haché
	Sel et poivre au goût

—

1. Préchauffer le four à 180°C (350°F).

2. Dans un bol, mélanger les ingrédients de la sauce.

3. Dans un poêlon allant au four ou dans une cocotte, chauffer l'huile à feu moyen. Saisir la viande de 1 à 2 minutes de chaque côté.

4. Verser la sauce dans le poêlon et porter à ébullition. Couvrir et cuire au centre du four 2 heures 30 minutes, jusqu'à ce que la viande se défasse facilement à la fourchette.

5. Si désiré, préparer les légumes racines caramélisés (voir recette ci-dessous) et cuire au four pendant les 40 dernières minutes de cuisson du bœuf braisé.

—

J'aime avec...

Légumes racines caramélisés

Couper sur la longueur 3 carottes et 3 panais. Tailler 1 oignon en quartiers. Couper en deux de 8 à 10 pommes de terre grelots. Dans un saladier, mélanger 30 ml (2 c. à soupe) de sirop d'érable ou de miel avec 45 ml (3 c. à soupe) d'huile d'olive, 1 tige de thym et 8 gousses d'ail épluchées. Ajouter les légumes et remuer. Étaler les légumes, sans les superposer, sur une ou deux plaques de cuisson tapissées de papier parchemin. Cuire au four de 40 à 50 minutes à 180°C (350°F), jusqu'à ce que les légumes soient tendres et caramélisés.

Salade de mâche au canard fumé et gelée d'érable

Préparation : 15 minutes — **Quantité :** 4 portions

15 ml	(1 c. à soupe) de moutarde à l'ancienne
15 ml	(1 c. à soupe) de vinaigre balsamique
60 ml	(¼ de tasse) d'huile d'olive
2	oignons verts hachés
60 ml	(¼ de tasse) de noix de Grenoble hachées
	Sel et poivre au goût
500 ml	(2 tasses) de mâche
1	paquet de canard fumé tranché de 85 g
250 ml	(1 tasse) de bleuets
1	pot de gelée d'érable de 125 ml

—

1. Dans un saladier, mélanger la moutarde avec le vinaigre balsamique, l'huile, les oignons verts et les noix. Saler et poivrer.

2. Ajouter la mâche, les tranches de canard et les bleuets. Remuer. Répartir la salade dans les assiettes.

3. Couper la gelée d'érable en dés et en garnir chacune des portions.

—

Crostinis au brie, bacon et salsa de mangue

Préparation : 30 minutes — **Cuisson :** 10 minutes — **Quantité :** 12 crostinis

Pour la salsa :

125 ml	(½ tasse) de mangue coupée en dés
80 ml	(⅓ de tasse) de poivron rouge coupé en dés
30 ml	(2 c. à soupe) de sirop d'érable
15 ml	(1 c. à soupe) de jus de lime
1	oignon vert haché
	Sel et poivre au goût

Pour les crostinis :

⅓	de baguette de pain
60 ml	(¼ de tasse) de beurre fondu
8	tranches de bacon coupées en dés
150 g	de brie coupé en dés

—

1. Préchauffer le four à 190 °C (375 °F).

2. Dans un bol, mélanger les ingrédients de la salsa.

3. Couper la baguette en 12 tranches d'environ 1 cm (½ po) d'épaisseur. Badigeonner de beurre les deux côtés des tranches de pain et les déposer sur une plaque de cuisson tapissée d'une feuille de papier parchemin. Faire griller au four de 10 à 12 minutes, en retournant les tranches à mi-cuisson.

4. Déposer les dés de bacon sur une plaque de cuisson tapissée d'une feuille de papier parchemin. Cuire au four de 7 à 8 minutes (en même temps que les tranches de pain), jusqu'à ce qu'ils soient dorés et croustillants.

5. Répartir les dés de brie sur les croûtons chauds. Garnir de salsa et de dés de bacon.

—

Sandwichs « pain doré »
au jambon et fromage suisse

Préparation : 15 minutes — **Cuisson :** 4 minutes — **Quantité :** 4 portions

3	œufs
60 ml	(¼ de tasse) de lait
	Sel et poivre au goût
8	tranches de pain aux raisins
8	tranches de jambon
8	tranches de fromage suisse
15 ml	(1 c. à soupe) de beurre
	Sirop d'érable au goût

—

1. Dans un plat creux, fouetter les œufs avec le lait. Assaisonner.

2. Sur quatre tranches de pain, répartir le jambon et le fromage. Refermer les sandwichs en couvrant d'une tranche de pain.

3. Tremper chaque sandwich dans la préparation aux œufs en le retournant afin que le côté extérieur des deux tranches de pain soit bien imbibé. Le pain ne doit pas devenir trop détrempé.

4. Dans une grande poêle, faire fondre le beurre à feu doux-moyen. Cuire les sandwichs de 2 à 3 minutes de chaque côté, jusqu'à ce que le pain soit bien doré et que le fromage commence à fondre.

5. Au moment de servir, arroser d'un filet de sirop d'érable.

—

Caramel d'érable à la fleur de sel

Préparation : 10 minutes — **Quantité :** 430 ml (1 ¾ tasse)

250 ml	(1 tasse) de sirop d'érable
45 ml	(3 c. à soupe) de sirop de maïs
125 ml	(½ tasse) de crème à cuisson 35 %
45 ml	(3 c. à soupe) de beurre
5 ml	(1 c. à thé) de fleur de sel

—

1. Dans une casserole, porter à ébullition le sirop d'érable avec le sirop de maïs. Laisser mijoter à feu doux-moyen, sans couvrir et sans remuer, jusqu'à ce que la température atteigne 120 °C (250 °F) sur un thermomètre à bonbons.

2. Retirer du feu et incorporer graduellement la crème en remuant à l'aide d'une cuillère de bois.

3. Remettre sur le feu et porter de nouveau à ébullition.

4. Retirer du feu et ajouter le beurre. Remuer jusqu'à ce qu'il soit fondu.

5. Laisser refroidir complètement, puis incorporer la fleur de sel.

6. Répartir dans des contenants hermétiques. Ce caramel d'érable se conserve jusqu'à 2 semaines au réfrigérateur.

—

Si savoureux, le porc

Quoi de mieux qu'une tendre viande qui regorge de saveurs réconfortantes pour faire un pied de nez aux jours gris? Outre le traditionnel jambon à l'érable, de nombreuses découpes de porc se prêtent à un mariage sucré-salé subtil et délicieux!

Filet de porc aux oignons et pommes caramélisées

Préparation : 20 minutes — **Cuisson :** 16 minutes — **Quantité :** 4 portions

720 g	(environ 1 ⅔ lb) de filets de porc
15 ml	(1 c. à soupe) d'huile d'olive
16	oignons perlés épluchés
2	pommes (Cortland, Spartan, Lobo ou Paulared), pelées et émincées
125 ml	(½ tasse) de sirop d'érable
80 ml	(⅓ de tasse) de bouillon de poulet
	Sel et poivre au goût

—

1. Préchauffer le four à 205 °C (400 °F). Parer les filets en retirant la membrane blanche.

2. Dans une poêle allant au four, chauffer l'huile à feu moyen. Saisir les filets 2 à 3 minutes sur toutes les faces. Transférer dans une assiette.

3. Dans la même poêle, faire dorer les oignons perlés et les tranches de pommes de 3 à 4 minutes.

4. Ajouter le sirop d'érable, le bouillon, le sel et le poivre. Porter à ébullition.

5. Remettre les filets dans la poêle. Compléter la cuisson au four de 16 à 18 minutes.

6. Retirer les filets du four. Couvrir d'une feuille de papier d'aluminium, sans serrer, et laisser reposer de 6 à 8 minutes avant de trancher.

—

J'aime avec...

Purée de pommes de terre et panais à la muscade

Peler 4 pommes de terre et 4 panais. Couper en morceaux et déposer dans une casserole d'eau froide salée. Porter à ébullition, puis cuire de 15 à 18 minutes. Égoutter et réduire en purée avec 80 ml (⅓ de tasse) de lait chaud, 30 ml (2 c. à soupe) de beurre et 1,25 ml (¼ de c. à thé) de muscade. Saler et poivrer.

Jambon à l'érable, ananas et légumes

Préparation : 20 minutes — **Marinage :** 4 heures
Cuisson : 2 heures — **Quantité :** de 4 à 6 portions

30 ml	(2 c. à soupe) de moutarde de Dijon
180 ml	(¾ de tasse) de sirop d'érable
375 ml	(1 ½ tasse) de bouillon de poulet
2	oignons hachés
1	boîte d'ananas en tranches ou en gros morceaux de 398 ml, avec le jus
5 ml	(1 c. à thé) de thym haché
1	feuille de laurier
5 ml	(1 c. à thé) de poivre noir en grains
1	jambon d'épaule picnic avec os de 1,5 kg (3 lb)
2	clous de girofle
4	carottes coupées en rondelles
4	panais coupés en rondelles
20	haricots verts

—

1. Dans un grand bol, mélanger la moutarde avec le sirop d'érable, le bouillon, les oignons, les ananas et leur jus, les fines herbes et le poivre. Ajouter le jambon. Couvrir et laisser mariner de 4 à 5 heures au frais.

2. Piquer les clous de girofle dans la peau du jambon.

3. Déposer le jambon et la marinade dans une grande casserole. Ajouter les carottes, les panais et les haricots. Porter à ébullition. Couvrir et cuire 2 heures à feu moyen.

—

J'aime aussi...

À la mijoteuse

La veille, mélanger dans un grand bol 30 ml (2 c. à soupe) de moutarde avec 125 ml (½ tasse) de sirop d'érable, 125 ml (½ tasse) de bouillon de poulet, 2 oignons hachés, 5 ml (1 c. à thé) de thym haché, 1 feuille de laurier, 5 ml (1 c. à thé) de poivre noir en grains et 2 clous de girofle. Réserver au réfrigérateur. Préparer les légumes selon les indications de la recette ci-dessus et les réserver au réfrigérateur dans des contenants hermétiques. Le matin, déposer les légumes dans la mijoteuse. Placer le jambon dessus. Répartir les ananas autour du jambon. Verser le jus des ananas. Sur le jambon, verser la préparation au sirop d'érable. Couvrir et cuire à faible intensité de 8 à 9 heures.

Côtes levées érable et barbecue

Préparation : 30 minutes — **Marinage :** 12 heures
Cuisson : 1 heure 40 minutes — **Quantité :** 4 portions

2,2 kg	(5 lb) de côtes levées de dos de porc

Pour la marinade sèche :

30 ml	(2 c. à soupe) de sucre d'érable
15 ml	(1 c. à soupe) de paprika fumé
15 ml	(1 c. à soupe) de poudre d'oignon
10 ml	(2 c. à thé) de moutarde sèche
5 ml	(1 c. à thé) de cumin
5 ml	(1 c. à thé) de poudre d'ail
2,5 ml	(½ c. à thé) de piment de Cayenne

Pour la sauce :

250 ml	(1 tasse) de bière blonde
250 ml	(1 tasse) de ketchup
80 ml	(⅓ de tasse) de sirop d'érable
60 ml	(¼ de tasse) de vinaigre de cidre
1	oignon haché

—

1. Mélanger les ingrédients de la marinade sèche.

2. À l'aide d'un couteau, retirer la membrane blanche sur les côtes levées. Enrober les côtes de marinade sèche en frottant la chair avec les mains. Déposer les côtes dans un plat et couvrir d'une pellicule plastique. Laisser mariner au réfrigérateur 12 heures ou toute la nuit.

3. Au moment de la cuisson, préchauffer le four à 150°C (300°F). Emballer les côtes dans une grande feuille de papier d'aluminium. Déposer la papillote sur une plaque de cuisson. Cuire au four de 1 heure 30 minutes à 2 heures, jusqu'à ce que la chair se détache de l'os.

4. Pendant la cuisson des côtes levées, mélanger les ingrédients de la sauce dans une casserole. Chauffer jusqu'aux premiers frémissements, puis laisser mijoter 30 minutes à feu doux. Retirer du feu et couvrir.

5. Une fois la cuisson des côtes levées complétée, augmenter la température du four à 205°C (400°F). Badigeonner les côtes avec la moitié de la sauce et remettre au four 10 minutes, sans couvrir.

6. Régler le four à la position « gril » (*broil*) et faire griller 3 minutes.

7. Pendant ce temps, réchauffer le reste de la sauce et servir avec les côtes.

—

J'aime avec...

Pommes de terre grelots aux fines herbes

Sur une plaque de cuisson tapissée de papier parchemin, répartir 450 g (1 lb) de pommes de terre grelots coupées en deux, 1 oignon coupé en quartiers, 1 tige de thym et 1 tige de romarin hachées. Arroser de 30 ml (2 c. à soupe) d'huile d'olive. Cuire au four de 25 à 30 minutes à 205°C (400°F).

Médaillons de porc au gingembre

Préparation : 15 minutes — **Cuisson :** 5 minutes — **Quantité :** 4 portions

755 g	(1 ⅔ lb) de filets de porc
30 ml	(2 c. à soupe) d'huile de canola

Pour la sauce :

125 ml	(½ tasse) de jus d'orange
60 ml	(¼ de tasse) de sirop d'érable
15 ml	(1 c. à soupe) de sauce soya
15 ml	(1 c. à soupe) de gingembre haché
5 ml	(1 c. à thé) d'ail haché
5 ml	(1 c. à thé) de fécule de maïs

—

1. Dans un bol, mélanger les ingrédients de la sauce.

2. Parer les filets de porc en retirant la membrane blanche. Couper les filets en tranches d'environ 2 cm (¾ de po) d'épaisseur.

3. Dans une poêle, chauffer l'huile à feu moyen. Cuire les médaillons 2 minutes de chaque côté. Transférer dans une assiette et couvrir d'une feuille de papier d'aluminium.

4. Dans la même poêle, verser la sauce et porter à ébullition. Ajouter les médaillons et réchauffer 1 minute à feu doux-moyen.

—

J'aime avec...

Orzo aux courgettes et oignon

Cuire 375 ml (1 ½ tasse) d'orzo *al dente* selon les indications de l'emballage. Dans une poêle, chauffer 30 ml (2 c. à soupe) d'huile d'olive à feu moyen. Faire revenir 1 oignon haché avec 1 poivron rouge coupé en dés 2 minutes. Ajouter l'orzo et 30 ml (2 c. à soupe) de basilic émincé. Saler et poivrer. Réchauffer 1 minute à feu doux en remuant.

Coq au porc, sauce épicée aux agrumes

Préparation : 20 minutes — **Cuisson :** 20 minutes — **Quantité :** 4 portions

2	coqs au porc (pour un total de 700 g – environ 1 ½ lb)
15 ml	(1 c. à soupe) d'huile de canola
125 ml	(½ tasse) de jus d'orange
60 ml	(¼ de tasse) de sirop d'érable
60 ml	(¼ de tasse) de sauce chili épicée thaï (de type Thaï Kitchen)
30 ml	(2 c. à soupe) de sauce soya

Pour les assaisonnements :

15 ml	(1 c. à soupe) de zestes de citron
15 ml	(1 c. à soupe) de graines de coriandre concassées
5 ml	(1 c. à thé) d'ail haché

—

1. Préchauffer le four à 190 °C (375 °F).

2. Dans un bol, mélanger les assaisonnements. Saupoudrer les coqs au porc du mélange et presser légèrement afin qu'il adhère bien à la chair.

3. Dans une poêle allant au four ou dans une cocotte, chauffer l'huile à feu moyen-vif. Saisir les coqs au porc de 1 à 2 minutes de chaque côté.

4. Verser le reste des ingrédients. Couvrir et cuire au four de 20 à 25 minutes.

—

Qu'est-ce qu'un coq au porc ?

Semblable à un petit rôti, le coq au porc est constitué d'un filet de porc enroulé dans une poitrine de poulet, le tout étant bien ficelé. On le trouve au comptoir de la boucherie des supermarchés, tel quel ou mariné, mais on peut également le préparer soi-même. Pour un résultat optimal, on recommande de le cuire au four ou au barbecue.

Côtelettes de porc, sauce moutarde, érable et romarin

Préparation : 20 minutes — **Cuisson :** 7 minutes — **Quantité :** 4 portions

8	côtelettes de longe de porc
60 ml	(¼ de tasse) de farine
15 ml	(1 c. à soupe) d'huile olive
	Sel et poivre au goût

Pour la sauce :

60 ml	(¼ de tasse) d'échalotes sèches émincées
10	champignons émincés
125 ml	(½ tasse) de bouillon de poulet
80 ml	(⅓ de tasse) de vin blanc
45 ml	(3 c. à soupe) de sirop d'érable
15 ml	(1 c. à soupe) de moutarde de Dijon
5 ml	(1 c. à thé) de romarin haché

1. Parer les côtelettes en retirant l'excédent de gras, puis les fariner.

2. Dans une poêle, chauffer l'huile à feu moyen. Cuire les côtelettes de 1 à 2 minutes de chaque côté. Transférer dans une assiette.

3. Dans la même poêle, cuire les échalotes et les champignons 2 minutes.

4. Ajouter le reste des ingrédients de la sauce et porter à ébullition.

5. Remettre les côtelettes dans la poêle. Assaisonner et cuire de 3 à 4 minutes.

J'aime avec...

Purée de pommes de terre cheddar et oignon vert

Peler et couper en cubes de 5 à 6 pommes de terre. Déposer dans une casserole d'eau froide salée. Porter à ébullition et cuire 20 minutes. Égoutter. Réduire en purée avec 125 ml (½ tasse) de lait chaud, 250 ml (1 tasse) de cheddar râpé et 45 ml (3 c. à soupe) d'oignon vert haché.

Mini-pogos, sauce moutarde-érable

Préparation : 35 minutes — **Cuisson :** 8 minutes — **Quantité :** 22 mini-pogos

225 g de saucisses cocktail (22 saucisses) ou 11 saucisses végétariennes coupées en deux

500 ml (2 tasses) d'huile de canola

30 ml (2 c. à soupe) de farine

Pour la sauce :

125 ml (½ tasse) de crème sure légère

30 ml (2 c. à soupe) de sirop d'érable

30 ml (2 c. à soupe) de basilic haché

15 ml (1 c. à soupe) de moutarde à l'ancienne

15 ml (1 c. à soupe) de zestes de citron

Pour la pâte à frire :

125 ml (½ tasse) de semoule de maïs fine

125 ml (½ tasse) de farine

5 ml (1 c. à thé) d'épices cajun

5 ml (1 c. à thé) de poudre à pâte

5 ml (1 c. à thé) de sucre d'érable

1 pincée de sel

1 œuf

160 ml (⅔ de tasse) de lait de beurre (babeurre)

—

1. Dans un bol, fouetter les ingrédients de la sauce. Réserver au frais.

2. Dans une casserole d'eau bouillante, cuire les saucisses de 2 à 3 minutes. Égoutter et éponger.

3. Dans un autre bol, mélanger les ingrédients secs de la pâte à frire.

4. Dans un troisième bol, fouetter l'œuf avec le lait de beurre. En fouettant, incorporer graduellement ce mélange aux ingrédients secs. Remuer jusqu'à l'obtention d'une pâte lisse.

5. Dans une grande casserole ou dans une friteuse, chauffer l'huile à 190 °C (375 °F). Piquer chacune des saucisses sur une brochette en bambou. Verser la farine dans une assiette creuse, puis fariner les saucisses. Secouer pour retirer l'excédent de farine, puis tremper les saucisses dans la pâte. Faire frire environ le quart des pogos 2 minutes, jusqu'à ce qu'ils soient bien dorés. Égoutter sur du papier absorbant. Répéter avec le reste des saucisses. Servir avec la sauce.

—

Mijoté de porc pommes et citrouille

Préparation : 25 minutes — **Cuisson :** 45 minutes — **Quantité :** 4 portions

30 ml	(2 c. à soupe) d'huile d'olive
755 g	(1 ⅔ lb) de cubes de porc à ragoût
1	oignon émincé
15 ml	(1 c. à soupe) d'ail haché
30 ml	(2 c. à soupe) de farine
750 ml	(3 tasses) de bouillon de poulet
125 ml	(½ tasse) de sirop d'érable
	Sel et poivre au goût
2	pommes Délicieuse rouge coupées en quartiers
¼	de citrouille moyenne coupée en cubes
8 à 10	choux de Bruxelles

—

1. Dans une casserole, chauffer l'huile à feu moyen. Faire dorer les cubes de porc de 3 à 4 minutes.

2. Ajouter l'oignon et l'ail. Cuire 1 minute.

3. Saupoudrer de farine et remuer. Verser le bouillon et le sirop d'érable. Porter à ébullition et assaisonner. Laisser mijoter à feu doux-moyen 30 minutes.

4. Ajouter les pommes, les cubes de citrouille et les choux de Bruxelles. Prolonger la cuisson de 15 à 20 minutes, jusqu'à ce que les légumes soient tendres.

—

Poulet gourmand

Lorsque l'érable se met de la partie pour escorter
le poulet dans une sauce, une marinade, une vinaigrette
ou pour le caraméliser, on passe de plat de tous
les jours à véritable repas gourmet! Voici quelques
recettes faciles pour relever votre volaille avec
cet ingrédient magique.

Poitrines de poulet pomme-cheddar

Préparation: 25 minutes — **Cuisson:** 12 minutes — **Quantité:** 4 portions

4	poitrines de poulet sans peau
15 ml	(1 c. à soupe) d'huile d'olive

Pour la farce:

125 ml	(½ tasse) de cheddar fort râpé
30 ml	(2 c. à soupe) de ciboulette hachée
1	pomme Cortland coupée en dés

Pour la sauce:

15 ml	(1 c. à soupe) de fécule de maïs
250 ml	(1 tasse) de bouillon de poulet
15 ml	(1 c. à soupe) de moutarde de Dijon
60 ml	(¼ de tasse) de sirop d'érable

—

1. Dans un bol, mélanger les ingrédients de la farce.

2. Inciser les poitrines en deux sur l'épaisseur, sans les couper complètement. Farcir les poitrines avec le mélange et les maintenir fermées à l'aide de cure-dents.

3. Dans une poêle, chauffer l'huile à feu moyen. Cuire les poitrines de 12 à 15 minutes, en les retournant à mi-cuisson. Transférer dans une assiette.

4. Dans un bol, délayer la fécule de maïs dans le bouillon. Incorporer la moutarde et le sirop d'érable. Verser la sauce dans la poêle. Porter à ébullition et cuire de 2 à 3 minutes en remuant.

5. Remettre les poitrines dans la poêle. Couvrir et réchauffer de 2 à 3 minutes à feu moyen, en remuant à quelques reprises.

—

J'aime avec...

Pommes de terre grillées

Peler 4 grosses pommes de terre, puis les couper en tranches de 1 cm (½ po) d'épaisseur. Déposer dans une casserole, couvrir d'eau froide et porter à ébullition. Égoutter et assécher avec un linge. Dans un bol, mélanger 45 ml (3 c. à soupe) de persil haché avec 10 ml (2 c. à thé) d'ail haché, 5 ml (1 c. à thé) de muscade et 45 ml (3 c. à soupe) de beurre fondu. Ajouter les pommes de terre dans le bol et mélanger. Réfrigérer 30 minutes. Déposer sur une plaque de cuisson tapissée d'une feuille de papier parchemin et cuire au four 20 minutes à 180 °C (350 °F), en retournant les tranches à mi-cuisson.

Poitrines de poulet érable et pommes

Préparation : 30 minutes — **Cuisson :** 10 minutes — **Quantité :** 4 portions

4	pommes Cortland
10 ml	(2 c. à thé) de jus de citron
80 ml	(⅓ de tasse) de sirop d'érable
15 ml	(1 c. à soupe) de moutarde de Dijon
5 ml	(1 c. à thé) de thym haché
15 ml	(1 c. à soupe) d'estragon haché
15 ml	(1 c. à soupe) d'huile de canola
15 ml	(1 c. à soupe) de beurre
4	poitrines de poulet sans peau
125 ml	(½ tasse) de bouillon de poulet
	Sel et poivre au goût

1. Peler les pommes. Arroser avec le jus de citron.

2. Dans un bol, mélanger le sirop d'érable avec la moutarde et les fines herbes.

3. Dans une grande poêle, chauffer l'huile avec le beurre à feu moyen. Cuire les poitrines 1 minute de chaque côté.

4. Ajouter les pommes et le sirop d'érable dans la poêle. Laisser caraméliser 2 minutes.

5. Verser le bouillon dans la poêle et assaisonner. Laisser mijoter à feu moyen 10 minutes, en retournant les poitrines à mi-cuisson.

J'aime avec...

Salade d'épinards, vinaigrette à l'érable

Dans un saladier, fouetter 60 ml (¼ de tasse) d'huile d'olive avec 30 ml (2 c. à soupe) de vinaigre de cidre, 45 ml (3 c. à soupe) de sirop d'érable et 15 ml (1 c. à soupe) de moutarde de Dijon. Saler et poivrer. Ajouter 80 ml (⅓ de tasse) de noix de Grenoble, ½ petit oignon rouge émincé et le contenu d'un paquet de bébés épinards de 142 g. Remuer.

Cuisses de poulet orange et thym

Préparation : 25 minutes — **Cuisson :** 25 minutes — **Quantité :** 4 portions

2	oranges
60 ml	(¼ de tasse) de sirop d'érable
10 ml	(2 c. à thé) de thym haché
45 ml	(3 c. à soupe) de sauce soya
60 ml	(¼ de tasse) de ketchup
30 ml	(2 c. à soupe) d'huile d'olive
4	cuisses de poulet sans peau
	Sel et poivre au goût

—

1. Préchauffer le four à 205 °C (400 °F).

2. Prélever le zeste et le jus des oranges. Déposer dans un bol. Mélanger avec le sirop d'érable, le thym, la sauce soya et le ketchup.

3. Dans une grande poêle allant au four, chauffer l'huile à feu moyen. Saisir les cuisses de poulet 1 minute de chaque côté.

4. Verser la sauce dans la poêle. Saler et poivrer.

5. Cuire au four de 25 à 30 minutes, jusqu'à ce que l'intérieur de la chair du poulet ait perdu sa teinte rosée.

—

J'aime avec...

Purée à l'ail rôti

Couper 1 tête d'ail en deux. Déposer sur une feuille de papier d'aluminium et arroser de 15 ml (1 c. à soupe) d'huile d'olive. Replier la feuille et cuire au four de 15 à 18 minutes à 205 °C (400 °F). Pendant ce temps, peler et couper en cubes 5 grosses pommes de terre. Déposer dans une casserole d'eau froide salée. Porter à ébullition, puis cuire jusqu'à tendreté. Égoutter et réduire en purée. Peler les gousses d'ail et incorporer la chair des gousses à la purée avec 125 ml (½ tasse) de lait et 45 ml (3 c. à soupe) de ciboulette hachée. Saler et poivrer.

Salade B.L.T. au poulet

Préparation : 25 minutes — **Cuisson :** 8 minutes — **Quantité :** 4 portions

Pour la salade :

15 ml	(1 c. à soupe) d'huile d'olive
4	poitrines de poulet sans peau
8	tranches de bacon
	Sel et poivre au goût
2	laitues Boston
20	tomates cerises coupées en deux

Pour la vinaigrette moutarde et érable :

60 ml	(¼ de tasse) d'huile d'olive
30 ml	(2 c. à soupe) de sirop d'érable
30 ml	(2 c. à soupe) de ciboulette hachée
15 ml	(1 c. à soupe) de vinaigre de cidre
15 ml	(1 c. à soupe) de moutarde de Dijon
	Sel et poivre au goût

—

1. Préchauffer le four à 205 °C (400 °F).

2. Dans une grande poêle allant au four, chauffer l'huile à feu moyen. Cuire les poitrines 2 minutes de chaque côté.

3. Ajouter le bacon dans la poêle et assaisonner.

4. Compléter la cuisson au four de 8 à 10 minutes, jusqu'à ce que le bacon soit croustillant.

5. Pendant ce temps, fouetter ensemble les ingrédients de la vinaigrette dans un bol.

6. Retirer la poêle du four, puis déposer les poitrines et le bacon sur du papier absorbant. Laisser tiédir. Émincer les poitrines et couper le bacon en morceaux.

7. Répartir les feuilles de laitue dans les assiettes. Garnir chacune des portions de poulet émincé et de tomates cerises. Napper de vinaigrette et parsemer de morceaux de bacon.

—

LE SAVIEZ-VOUS ?

—

Qu'est-ce qu'une salade B.L.T. ?

Après avoir fait fureur en sandwich, le trio bacon-laitue-tomate se transpose dans la salade ! Le concept gagnant du B.L.T. compose ici une salade soutenante, savoureuse et rapide à préparer. Pour varier, amusez-vous à ajouter protéines (fromage, noix, graines…) et autres ingrédients nourrissants (poivrons, concombres, endives…).

Hauts de cuisses caramélisés érable et ail

Préparation : 15 minutes — **Cuisson :** 15 minutes — **Quantité :** 4 portions

15 ml	(1 c. à soupe) d'huile d'olive
12	hauts de cuisses de poulet, désossés et sans peau

Pour la sauce :

125 ml	(½ tasse) de sirop d'érable
60 ml	(¼ de tasse) de vinaigre balsamique
30 ml	(2 c. à soupe) d'huile d'olive
15 ml	(1 c. à soupe) d'ail haché
15 ml	(1 c. à soupe) de moutarde de Dijon

—

1. Dans un bol, fouetter les ingrédients de la sauce.

2. Préchauffer le four à 205 °C (400 °F).

3. Dans une poêle allant au four, chauffer l'huile à feu moyen. Faire dorer les hauts de cuisses 2 minutes de chaque côté.

4. Verser la moitié de la sauce sur les hauts de cuisses, puis compléter la cuisson au four 15 minutes, jusqu'à ce que l'intérieur de la chair ait perdu sa teinte rosée.

5. Au moment de servir, réchauffer le reste de la sauce dans une petite casserole ou au micro-ondes. Servir avec le poulet.

—

J'aime avec...

Salade de chou nappa et pommes

Dans un saladier, mélanger 80 ml (⅓ de tasse) de mayonnaise avec 15 ml (1 c. à soupe) de jus de citron, 15 ml (1 c. à soupe) de miel ou de sirop d'érable et 2 oignons verts hachés. Saler et poivrer. Ajouter 750 ml (3 tasses) de chou nappa émincé et 2 pommes émincées. Remuer.

Tournedos de poulet aux tomates cerises confites

Préparation : 15 minutes — **Cuisson :** 10 minutes — **Quantité :** 4 portions

30 ml	(2 c. à soupe) d'huile d'olive
4	tournedos de poulet bardés de bacon
8	petites échalotes sèches émincées
80 ml	(⅓ de tasse) de sirop d'érable
30 ml	(2 c. à soupe) de vinaigre de cidre
10 ml	(2 c. à thé) de thym haché
1	feuille de laurier
	Sel et poivre au goût
16	tomates cerises rouges et jaunes

—

1. Dans une poêle, chauffer l'huile à feu moyen. Cuire les tournedos de 2 à 3 minutes de chaque côté.

2. Ajouter les échalotes et cuire 1 minute.

3. Verser le sirop d'érable et cuire 1 minute.

4. Ajouter le vinaigre balsamique, le thym et le laurier. Saler et poivrer. Porter à ébullition.

5. Ajouter les tomates cerises. Couvrir et cuire de 10 à 12 minutes, jusqu'à ce que l'intérieur de la chair des tournedos ait perdu sa teinte rosée.

—

J'aime avec...

Salade d'endives et graines de tournesol

Dans un saladier, mélanger 45 ml (3 c. à soupe) d'huile d'olive avec 15 ml (1 c. à soupe) de jus de citron. Saler et poivrer. Ajouter 4 endives émincées, 2 branches de céleri hachées et 30 ml (2 c. à soupe) de graines de tournesol grillées. Remuer.

Poitrines de poulet porto et raisins

Préparation : 20 minutes — **Cuisson :** 15 minutes — **Quantité :** 4 portions

15 ml	(1 c. à soupe) d'huile d'olive
4	poitrines de poulet sans peau
60 ml	(¼ de tasse) d'échalotes sèches hachées
125 ml	(½ tasse) de sirop d'érable
125 ml	(½ tasse) de porto
	Sel et poivre au goût
180 ml	(¾ de tasse) de raisins rouges coupés en deux
5 ml	(1 c. à thé) de romarin haché

1. Dans une poêle, chauffer l'huile à feu moyen. Cuire les poitrines de 1 à 2 minutes de chaque côté.

2. Ajouter les échalotes et cuire 1 minute.

3. Verser le sirop d'érable et le porto. Assaisonner. Couvrir et laisser mijoter à feu doux-moyen de 12 à 15 minutes, jusqu'à ce que l'intérieur de la chair ait perdu sa teinte rosée.

4. Ajouter les raisins et le romarin. Prolonger la cuisson de 2 à 3 minutes.

J'aime avec...

Pommes de terre au sirop d'érable

Couper 5 pommes de terre et 1 petit oignon rouge en quartiers. Couper 12 asperges en morceaux. Dans un bol, mélanger 30 ml (2 c. à soupe) d'huile d'olive avec 30 ml (2 c. à soupe) de sirop d'érable. Saler et poivrer. Déposer les légumes dans le bol et mélanger. Déposer les légumes sur une plaque de cuisson tapissée d'une feuille de papier parchemin et cuire au four 30 minutes à 205 °C (400 °F).

Brochettes de poulet
au caramel d'érable et gingembre

Préparation : 20 minutes — **Marinage :** 30 minutes — **Cuisson :** 8 minutes — **Quantité :** 4 portions

4	poitrines de poulet sans peau
15 ml	(1 c. à soupe) d'huile de sésame (non grillé)
15 ml	(1 c. à soupe) de graines de sésame

Pour la marinade :

160 ml	(⅔ de tasse) de sirop d'érable
80 ml	(⅓ de tasse) de sauce soya
60 ml	(¼ de tasse) de vinaigre de riz
30 ml	(2 c. à soupe) de gingembre haché
30 ml	(2 c. à soupe) d'huile de sésame (non grillé)
10 ml	(2 c. à thé) d'ail haché
	Poivre au goût

1. Tailler les poitrines de poulet en 12 lanières d'environ 1 cm (½ po) de largeur.

2. Dans un bol, mélanger les ingrédients de la marinade. Verser la moitié de la marinade dans un sac hermétique et réserver le reste au frais. Ajouter les lanières de poulet dans le sac et laisser mariner 30 minutes au frais.

3. Égoutter le poulet et jeter la marinade. Piquer chacune des lanières de poulet sur une brochette en la faisant onduler.

4. Dans une grande poêle, chauffer l'huile à feu moyen-vif. Cuire les brochettes de 1 à 2 minutes de chaque côté.

5. Verser la marinade réservée et laisser caraméliser de 8 à 10 minutes à feu doux-moyen, en retournant les brochettes à mi-cuisson. Parsemer de graines de sésame.

Escalopes de poulet
aux oignons caramélisés sur pâtes

Préparation : 30 minutes — **Quantité :** 4 portions

350 g	de spaghettinis ou autres pâtes longues
4	poitrines de poulet sans peau
45 ml	(3 c. à soupe) d'huile d'olive
60 ml	(¼ de tasse) de vin blanc
3	oignons émincés
125 ml	(½ tasse) de sirop d'érable
16	tomates raisins coupées en deux
	Sel et poivre au goût
	Quelques feuilles de persil hachées

—

1. Dans une casserole d'eau bouillante salée, cuire les pâtes *al dente*. Égoutter et réserver au chaud.

2. Pendant ce temps, couper les poitrines de poulet en trois sur l'épaisseur afin d'obtenir 12 escalopes.

3. Dans une poêle, chauffer 30 ml (2 c. à soupe) d'huile à feu moyen. Cuire la moitié des escalopes de 2 à 3 minutes de chaque côté. Réserver dans une assiette. Répéter avec le reste des escalopes.

4. Remettre le poulet dans la poêle et verser le vin blanc. Porter à ébullition en raclant les sucs de cuisson à l'aide d'une cuillère en bois. Laisser mijoter jusqu'à réduction complète du liquide. Transférer les escalopes dans une assiette.

5. Dans la même poêle, chauffer le reste de l'huile à feu moyen-élevé. Cuire les oignons de 3 à 5 minutes.

6. Verser le sirop d'érable et poursuivre la cuisson de 3 à 4 minutes, jusqu'à ce que les oignons soient bien caramélisés.

7. Ajouter les tomates et porter à ébullition.

8. Assaisonner et remettre les escalopes dans la poêle. Réchauffer de 1 à 2 minutes.

9. Répartir les spaghettinis et les escalopes dans les assiettes. Parsemer de persil.

—

Saumon, pétoncles et crevettes

Quand vient le temps de concocter des repas aux notes sucrées-salées, on oublie trop souvent les poissons et les fruits de mer. Pourtant, il existe une multitude de façons de les apprêter et de les mettre en valeur ainsi ! Découvrez des recettes exotiques pour déguster ces aliments nutritifs bourrés de protéines et d'oméga-3 !

Mini-brochettes de crevettes au piment d'Espelette

Préparation : 25 minutes — **Marinage :** 15 minutes — **Quantité :** 12 mini-brochettes

24	crevettes moyennes (calibre 31/40), crues et décortiquées
30 ml	(2 c. à soupe) d'huile d'olive

Pour la marinade :

45 ml	(3 c. à soupe) de sirop d'érable
30 ml	(2 c. à soupe) de jus de lime
5 ml	(1 c. à thé) d'ail haché
2,5 ml	(½ c. à thé) de piment d'Espelette

—

1. Dans un bol, fouetter les ingrédients de la marinade. Ajouter les crevettes et laisser mariner de 15 à 20 minutes au frais.

2. Égoutter les crevettes et jeter la marinade. Préparer les brochettes en piquant deux crevettes sur chacune d'elles.

3. Dans une poêle, chauffer l'huile à feu moyen. Cuire les brochettes de 1 à 2 minutes de chaque côté.

—

J'aime avec...

Trempette au piment d'Espelette

Mélanger 125 ml (½ tasse) de mayonnaise avec 15 ml (1 c. à soupe) de zestes de lime, 15 ml (1 c. à soupe) de sirop d'érable, 5 ml (1 c. à thé) de piment d'Espelette et 5 ml (1 c. à thé) de gingembre haché.

Saumon glacé à l'érable et vinaigre balsamique

Préparation : 15 minutes — **Cuisson :** 12 minutes — **Quantité :** 4 portions

15 ml	(1 c. à soupe) de beurre
15 ml	(1 c. à soupe) d'huile d'olive
4	filets de saumon de 180 g (environ ⅓ de lb) chacun, sans peau
80 ml	(⅓ de tasse) de sirop d'érable
45 ml	(3 c. à soupe) de vinaigre balsamique blanc
80 ml	(⅓ de tasse) de copeaux de parmesan
30 ml	(2 c. à soupe) de ciboulette hachée
30 ml	(2 c. à soupe) d'aneth haché

—

1. Dans une poêle, chauffer le beurre et l'huile à feu moyen. Cuire les filets 5 minutes de chaque côté.

2. Verser le sirop d'érable et le vinaigre balsamique blanc dans la poêle. Cuire de 2 à 3 minutes en retournant les filets à mi-cuisson.

3. Répartir la préparation dans les assiettes. Parsemer chacune des portions de copeaux de parmesan, de ciboulette et d'aneth.

—

J'aime avec...

Légumes au parfum d'érable

Couper 1 oignon et 1 poivron rouge en cubes. Couper 250 ml (1 tasse) de mini-carottes en deux sur la longueur et 8 pommes de terre grelots en quatre. Dans une poêle, chauffer 30 ml (2 c. à soupe) d'huile d'olive à feu moyen. Cuire les carottes et les pommes de terre grelots de 4 à 5 minutes. Ajouter l'oignon et le poivron rouge. Cuire de 2 à 3 minutes. Verser 60 ml (¼ de tasse) de sirop d'érable et 15 ml (1 c. à soupe) de jus de citron. Prolonger la cuisson de 2 à 3 minutes. Saler et poivrer.

Pétoncles caramélisés sur linguines

Préparation : 15 minutes — **Cuisson :** 10 minutes — **Quantité :** 4 portions

1	paquet de linguines de 350 g
16	pétoncles moyens (calibre 20/30)
15 ml	(1 c. à soupe) de sucre d'érable
30 ml	(2 c. à soupe) de beurre
80 ml	(⅓ de tasse) d'échalotes sèches hachées
90 ml	(⅓ de tasse + 2 c. à thé) de sirop d'érable
250 ml	(1 tasse) de crème à cuisson 15 %
	Sel et poivre au goût

—

1. Dans une casserole d'eau bouillante salée, cuire les pâtes *al dente*. Égoutter.

2. Pendant la cuisson des pâtes, saupoudrer les deux côtés des pétoncles de 15 ml (1 c. à soupe) de sucre d'érable.

3. Dans une poêle, faire fondre le beurre à feu moyen. Saisir les pétoncles 1 minute de chaque côté. Transférer dans une assiette et couvrir d'une feuille de papier d'aluminium.

4. Dans la même poêle, cuire les échalotes de 3 à 4 minutes en remuant.

5. Verser 30 ml (2 c. à soupe) de sirop d'érable et laisser caraméliser de 1 à 2 minutes. Transférer dans l'assiette contenant les pétoncles.

6. Toujours dans la même poêle, chauffer à feu moyen le reste du sirop d'érable avec la crème de 1 à 2 minutes en remuant. Saler et poivrer.

7. Répartir les linguines dans les assiettes. Garnir de pétoncles et d'échalotes confites, puis napper de sauce.

—

Avec du cidre de glace

Pour donner une petite touche différente et festive à cette recette, essayez-la avec du cidre de glace ! Pour ce faire, suivez les étapes 1, 3 et 4 de la recette ci-dessus, en omettant les étapes 2 et 5. À l'étape 6, remplacez le sirop d'érable par 180 ml (¾ de tasse) de cidre de glace et chauffez en remuant avec 125 ml (½ tasse) de crème à cuisson 15 %. Terminez par l'étape 7.

Saumon à la sauce citron-orange

Préparation : 20 minutes — **Cuisson :** 8 minutes — **Quantité :** 4 portions

15 ml	(1 c. à soupe) de zestes de citron
15 ml	(1 c. à soupe) de zestes d'orange
15 ml	(1 c. à soupe) de jus de citron
45 ml	(3 c. à soupe) de jus d'orange
60 ml	(¼ de tasse) de sirop d'érable
4	filets de saumon de 180 g (environ ⅓ de lb) chacun, sans peau
3	jaunes d'œufs
15 ml	(1 c. à soupe) de fécule de maïs
310 ml	(1 ¼ tasse) de fumet de poisson
	Sel et poivre au goût

—

1. Préchauffer le four à 205 °C (400 °F).

2. Dans un bol, mélanger les zestes avec le jus des agrumes. Verser la moitié du mélange dans une casserole et réserver. Dans le bol, ajouter le sirop d'érable.

3. Tapisser une plaque de cuisson d'une feuille de papier parchemin et y déposer les filets. Napper de la préparation au sirop d'érable. Cuire au four de 8 à 10 minutes, sur la grille du centre, en retournant les filets à mi-cuisson.

4. Faire caraméliser légèrement la surface des filets à la position « gril » (*broil*).

5. Dans la casserole contenant le jus et les zestes, fouetter les jaunes d'œufs avec la fécule et le fumet. Porter à ébullition en fouettant constamment. Poursuivre la cuisson jusqu'à épaississement. Assaisonner.

6. Au moment de servir, napper les filets de sauce.

—

J'aime avec...

Salade de tomates et oignon rouge

Dans un saladier, mélanger 60 ml (¼ de tasse) d'huile d'olive avec 15 ml (1 c. à soupe) de vinaigre balsamique, 30 ml (2 c. à soupe) de persil haché, 15 ml (1 c. à soupe) de basilic émincé, 30 ml (2 c. à soupe) de parmesan râpé et 30 ml (2 c. à soupe) de noix de pin. Saler et poivrer. Couper 15 tomates cerises en deux et 2 tomates italiennes en quartiers. Émincer 1 petit oignon rouge. Déposer dans le saladier et bien mélanger.

Filet de saumon
sur planche de cèdre

Trempage : 1 heure — **Préparation :** 5 minutes — **Marinage :** 30 minutes
Cuisson : 15 minutes — **Quantité :** 4 portions

1	planche de cèdre pour la cuisson
4	pavés de saumon de 2,5 cm (1 po) d'épaisseur chacun, sans peau
	Sel et poivre au goût

Pour la marinade :

80 ml	(⅓ de tasse) de sirop d'érable
30 ml	(2 c. à soupe) de sauce soya
15 ml	(1 c. à soupe) de gingembre haché
15 ml	(1 c. à soupe) de jus de citron
15 ml	(1 c. à soupe) de zestes de citron

—

1. Faire tremper la planche de cèdre 1 heure dans l'eau en prenant soin de la maintenir immergée.

2. Pendant ce temps, mélanger les ingrédients de la marinade dans un bol.

3. Déposer le saumon dans un sac hermétique. Ajouter la marinade et laisser mariner 30 minutes au frais.

4. Déposer une feuille de papier d'aluminium sur la grille inférieure du four, afin de recueillir le jus qui pourrait s'écouler du poisson pendant la cuisson. Préchauffer le four à 205 °C (400 °F).

5. Retirer la planche de l'eau et bien l'assécher. Égoutter les pavés de saumon en prenant soin de réserver la marinade et déposer sur la planche. Napper de marinade, saler et poivrer. Cuire au four 12 minutes, jusqu'à ce que le poisson soit légèrement doré.

6. Régler le four à la position «gril» (*broil*) et poursuivre la cuisson de 3 à 4 minutes.

7. Retirer le poisson du four et laisser reposer 5 minutes sur la planche avant de servir.

—

LE SAVIEZ-VOUS ?

—

Comment utiliser la planche de cèdre ?

La planche de cèdre permet d'aromatiser viande, volaille et poisson en leur conférant un léger goût boisé et fumé. Procurez-vous une planche non traitée (afin d'éviter la contamination chimique des aliments) spécialement conçue à cet effet au supermarché, dans une boutique spécialisée ou en quincaillerie. Avant de commencer la cuisson, assurez-vous d'avoir immergé la planche dans l'eau pendant au moins une heure : cela l'empêchera de brûler. Pendant la cuisson, vérifiez régulièrement que la planche ne s'enflamme pas.

Truite saumonée en papillote et julienne de légumes

Préparation : 15 minutes — **Cuisson :** 12 minutes — **Quantité :** 4 portions

1	poivron jaune ou rouge
1	petit oignon rouge
30 ml	(2 c. à soupe) de moutarde à l'ancienne
80 ml	(⅓ de tasse) de sirop d'érable
30 ml	(2 c. à soupe) de ciboulette hachée
	Sel et poivre au goût
16	pois mange-tout
4	filets de truite saumonée de 180 g (environ ⅓ de lb) chacun, sans peau

—

1. Préchauffer le four à 205 °C (400 °F).

2. Émincer le poivron et l'oignon rouge.

3. Dans un bol, mélanger la moutarde avec le sirop d'érable et la ciboulette. Assaisonner.

4. Tailler quatre grandes feuilles de papier parchemin. Plier les feuilles en deux puis les ouvrir.

5. Sur une moitié de chacune des feuilles, répartir les légumes. Déposer les filets de truite sur les légumes et napper de sauce à la moutarde.

6. Plier les feuilles de manière à former des papillotes hermétiques. Déposer les papillotes sur une plaque de cuisson.

7. Cuire au four de 12 à 15 minutes, jusqu'à ce que les papillotes soient gonflées.

—

Gravlax au poivre rose et érable

Préparation : 15 minutes — **Marinage :** 24 heures — **Quantité :** de 8 à 10 portions

30 ml	(2 c. à soupe) de sucre d'érable
45 ml	(3 c. à soupe) de sel de mer
	Poivre du moulin au goût
30 ml	(2 c. à soupe) d'aneth haché
30 ml	(2 c. à soupe) de grains de poivre rose écrasés
15 ml	(1 c. à soupe) de zestes de citron
1 kg	(environ 2 ¼ lb) de filets de saumon sans peau
60 ml	(¼ de tasse) de liqueur de whisky et de sirop d'érable (de type Sortilège ou Coureur des Bois)

Pour la sauce :

125 ml	(½ tasse) de crème sure
30 ml	(2 c. à soupe) d'aneth haché
15 ml	(1 c. à soupe) de moutarde à l'ancienne
15 ml	(1 c. à soupe) de zestes de citron

Pour accompagner (au choix) :

Croûtons, chips de mini-bagels ou blinis

—

1. Dans un bol, mélanger le sucre d'érable avec le sel, le poivre, l'aneth, le poivre rose et les zestes de citron.

2. Badigeonner le saumon avec la liqueur de whisky et de sirop d'érable. Frotter les filets de saumon avec le mélange au sucre d'érable. Déposer le saumon sur une grille, puis déposer la grille sur une plaque de cuisson. Couvrir d'une pellicule plastique et laisser mariner 24 heures au frais, en retournant les filets après 12 heures.

3. Éponger le saumon avec du papier absorbant. Couper en fines tranches.

4. Dans un bol, mélanger les ingrédients de la sauce. Servir avec le gravlax et les accompagnements de votre choix.

—

Saumon express, sauce thaï

Préparation : 15 minutes — **Cuisson :** 10 minutes — **Quantité :** 4 portions

60 ml	(¼ de tasse) de sauce chili thaï épicée
60 ml	(¼ de tasse) de marmelade
15 ml	(1 c. à soupe) de sauce soya
30 ml	(2 c. à soupe) de sirop d'érable
15 ml	(1 c. à soupe) de gingembre râpé
10 ml	(2 c. à thé) d'ail haché
	Poivre au goût
15 ml	(1 c. à soupe) d'huile de canola
4	filets de saumon sans peau
15 ml	(1 c. à soupe) ciboulette hachée

—

1. Préchauffer le four à la position «gril» (*broil*).

2. Dans un bol, mélanger la sauce chili thaï avec la marmelade, la sauce soya, le sirop d'érable, le gingembre et l'ail. Poivrer.

3. Dans une poêle allant au four, chauffer l'huile à feu moyen. Cuire les filets de saumon de 3 à 4 minutes de chaque côté.

4. Déposer les filets de saumon sur une plaque de cuisson tapissée d'une feuille de papier parchemin. Étaler la sauce sur les filets et compléter la cuisson au four 3 minutes.

5. Parsemer chacune des portions de ciboulette.

—

Crevettes caramélisées ail et sésame

Préparation : 15 minutes — **Cuisson :** 18 minutes — **Quantité :** 4 portions

Pour le riz :

500 ml	(2 tasses) de bouillon de poulet
250 ml	(1 tasse) de riz basmati

Pour la sauce :

45 ml	(3 c. à soupe) de sirop d'érable
30 ml	(2 c. à soupe) de sauce soya
30 ml	(2 c. à soupe) de vinaigre de riz
15 ml	(1 c. à soupe) de gingembre haché

Pour les crevettes :

30 ml	(2 c. à soupe) d'huile de sésame (non grillé)
1	sac de crevettes moyennes (calibre 31/40) de 350 g, crues et décortiquées
1	petit oignon rouge émincé
5 ml	(1 c. à thé) d'ail haché
30 ml	(2 c. à soupe) de graines de sésame grillées

—

1. Dans une casserole, porter à ébullition le bouillon de poulet. Ajouter le riz. Couvrir et cuire à feu doux de 18 à 20 minutes.

2. Pendant ce temps, mélanger dans un bol les ingrédients de la sauce.

3. Dans une poêle, chauffer l'huile de sésame à feu moyen. Saisir les crevettes 1 minute. Transférer dans une assiette.

4. Dans la même poêle, saisir l'oignon rouge 1 minute.

5. Ajouter l'ail, les crevettes et la sauce. Cuire de 1 à 2 minutes en remuant.

6. Répartir le riz dans les assiettes. Garnir de crevettes et parsemer de graines de sésame.

—

Pacanes, amandes et noix

Quand noix, pacanes et amandes flirtent avec l'érable, on assure à nos papilles un passage direct vers le paradis gustatif! Les parfums de ces fruits à coques aux propriétés nutritionnelles non négligeables, accompagnés de généreux sirop ambré, donnent lieu à un accord parfait. Succulent de l'entrée au dessert!

Gâteau aux bananes, érable et pacanes

Préparation : 20 minutes — **Cuisson :** 30 minutes — **Quantité :** de 6 à 8 portions

375 ml	(1 ½ tasse) de farine
7,5 ml	(½ c. à soupe) de poudre à pâte
2,5 ml	(½ c. à thé) de bicarbonate de soude
2,5 ml	(½ c. à thé) de cannelle
125 ml	(½ tasse) de beurre ramolli
1	banane bien mûre écrasée
125 ml	(½ tasse) de sirop d'érable
2	œufs
60 ml	(¼ de tasse) de lait
80 ml	(⅓ de tasse) de pacanes en morceaux

—

1. Préchauffer le four à 180 °C (350 °F).

2. Dans un bol, mélanger les ingrédients secs.

3. À l'aide du batteur électrique, battre en crème le beurre avec la banane et le sirop d'érable. Ajouter les œufs et battre jusqu'à l'obtention d'une consistance homogène.

4. En battant à basse vitesse, incorporer graduellement les ingrédients secs en alternant avec le lait.

5. Ajouter les pacanes et remuer.

6. Beurrer un moule de 20 cm (8 po) et y verser la pâte. Cuire au four de 30 à 35 minutes, jusqu'à ce qu'un cure-dent inséré au centre du gâteau en ressorte propre. Retirer du four et laisser tiédir sur une grille.

—

J'aime avec...

Sauce sucre à la crème

Dans une casserole, porter à ébullition à feu moyen 160 ml (⅔ de tasse) de crème à cuisson 35 % avec 180 ml (¾ de tasse) de cassonade, 15 ml (1 c. à soupe) de beurre et 2,5 ml (½ c. à thé) de vanille. Retirer du feu et laisser tiédir.

Saumon aux pacanes

Préparation : 15 minutes — **Marinage :** 1 heure
Cuisson : 12 minutes — **Quantité :** 4 portions

4	filets de saumon de 180 g (environ ⅓ de lb) chacun, sans peau
15 ml	(1 c. à soupe) d'huile d'olive
80 ml	(⅓ de tasse) de pacanes en morceaux

Pour la sauce :

125 ml	(½ tasse) de sirop d'érable
125 ml	(½ tasse) de jus d'orange
45 ml	(3 c. à soupe) d'échalotes sèches hachées
30 ml	(2 c. à soupe) de sauce aux huîtres
	Sel et poivre au goût

—

1. Dans un bol, mélanger les ingrédients de la sauce. Ajouter les filets de saumon dans le bol et laisser mariner 1 heure au frais.

2. Égoutter le saumon et réserver la sauce.

3. Dans une poêle, chauffer l'huile à feu moyen. Cuire le saumon de 1 à 2 minutes de chaque côté.

4. Ajouter la sauce réservée et les pacanes. Porter à ébullition. Couvrir et laisser mijoter de 12 à 14 minutes à feu doux-moyen.

—

J'aime avec... ♡

C'est simple et rapide !

Même lorsque l'on a peu de temps pour cuisiner, il est possible d'agrémenter nos plats du quotidien. Cette recette gourmande se prépare en seulement 15 minutes et nécessite peu d'ingrédients. Grâce à leur texture croustillante et à leur goût unique, les pacanes font de cette recette de saumon un charme pour les papilles !

Tarte aux pacanes

Préparation : 20 minutes — **Cuisson :** 30 minutes
Réfrigération : 30 minutes — **Quantité :** de 6 à 8 portions

60 ml	(¼ de tasse) de beurre
45 ml	(3 c. à soupe) de farine
160 ml	(⅔ de tasse) de sirop d'érable
125 ml	(½ tasse) de cassonade
5 ml	(1 c. à thé) de vanille
2	œufs battus
250 ml	(1 tasse) de pacanes en morceaux
1	croûte à tarte de 23 cm (9 po)

1. Préchauffer le four à 180 °C (350 °F).

2. Dans une casserole, faire fondre le beurre à feu moyen. Ajouter la farine. Remuer et cuire 1 minute, sans colorer la farine.

3. Ajouter le sirop d'érable, la cassonade et la vanille. Chauffer jusqu'aux premiers bouillons en fouettant.

4. Retirer du feu et laisser tiédir de 8 à 10 minutes, puis incorporer les œufs battus en remuant.

5. Déposer les pacanes sur la croûte à tarte puis verser la préparation.

6. Cuire au four de 30 à 35 minutes. Retirer du four et laisser tiédir.

7. Réfrigérer de 30 à 45 minutes avant de servir.

 *J'aime aussi...*

Aux noix ou aux noisettes

Pour varier cette recette et l'agrémenter de saveurs diverses, vous pouvez remplacer les pacanes par des noix de Grenoble, des noisettes ou des noix de pin. Pour accentuer leur goût, faites-les griller au four quelques minutes à 180 °C (350 °F). Vous préférez ajouter une note fruitée ? Les raisins secs dorés ou les canneberges se prêtent à merveille à cette savoureuse tarte !

Brioches cannelle et raisins

Préparation : 15 minutes — **Cuisson :** 30 minutes — **Quantité :** 4 portions

Pour les brioches :

180 ml	(¾ de tasse) de cassonade
125 ml	(½ tasse) de raisins secs
2,5 ml	(½ c. à thé) de cannelle
30 ml	(2 c. à soupe) de beurre ramolli
700 g	(environ 1 ½ lb) de pâte à pizza

Pour la sauce érable et noix :

250 ml	(1 tasse) de cassonade
250 ml	(1 tasse) de noix de Grenoble hachées
125 ml	(½ tasse) de sirop d'érable

—

1. Préchauffer le four à 190 °C (375 °F).

2. Dans un bol, mélanger la cassonade avec les raisins secs, la cannelle et le beurre.

3. Abaisser la pâte à pizza en un rectangle de 40 cm x 30 cm (16 po x 12 po). Étaler le mélange aux raisins sur la pâte.

4. Rouler la pâte sur la longueur, puis couper le rouleau ainsi formé en 12 tranches.

5. Beurrer un plat de 33 cm x 23 cm (13 po x 9 po) et y déposer les tranches côte à côte. Cuire au four de 30 à 35 minutes.

6. Pendant ce temps, mélanger les ingrédients de la sauce dans une casserole. Porter à ébullition à feu moyen.

7. Retirer les brioches du four et napper de sauce.

—

LE SAVIEZ-VOUS ?

—

On peut faire un dessert avec de la pâte à pizza !

Dans cette recette, la pâte à pizza est utilisée pour réaliser de délicieuses brioches, mais saviez-vous qu'elle peut aussi être employée pour réaliser de nombreux autres desserts ? Que ce soit pour cuisiner des tartes, des pizzas dessert, des beignes, des chaussons et autres délices sucrés, il existe de nombreuses façons d'utiliser autrement la pâte à pizza.

Feuilles d'endives farcies
aux poires et fromage cottage

Préparation : 20 minutes — **Quantité :** 4 portions

2	poires
45 ml	(3 c. à soupe) de sirop d'érable
4	grosses endives
30 ml	(2 c. soupe) d'huile de noix
45 ml	(3 c. à soupe) de ciboulette hachée
1	contenant de fromage cottage de 250 g, égoutté
	Sel et poivre au goût
80 ml	(⅓ de tasse) de noix de Grenoble émincées

—

1. Peler et couper les poires en dés.

2. Dans une casserole, chauffer le sirop d'érable à feu doux-moyen. Ajouter les dés de poires dans la casserole et cuire de 2 à 3 minutes. Retirer du feu et laisser tiédir.

3. Détacher 12 grosses feuilles des endives.

4. Émincer le reste des endives. Déposer dans un bol et mélanger avec l'huile et la ciboulette.

5. Mélanger le fromage cottage avec les poires au sirop. Saler et poivrer. Garnir les feuilles d'endives avec cette préparation.

6. Parsemer d'endives émincées et de noix.

—

Brie fondant aux canneberges, pomme et beurre d'érable

Préparation : 10 minutes — **Cuisson :** 15 minutes — **Quantité :** de 4 à 6 portions

½	pomme verte coupée en dés
80 ml	(⅓ de tasse) de canneberges séchées
80 ml	(⅓ de tasse) d'amandes en bâtonnets
½	pot de beurre d'érable de 160 g
5 ml	(1 c. à thé) de thym haché
1	brie de 350 g
—	

1. Préchauffer le four à 205 °C (400 °F).

2. Dans un bol, mélanger les dés de pomme avec les canneberges, les amandes, le beurre d'érable et le thym.

3. Retirer la croûte supérieure du brie. Dans un petit plat de cuisson, déposer le fromage. Répartir le mélange préparé à l'étape 2 sur le fromage.

4. Cuire au four 15 minutes. Servir avec du pain, des croûtons ou des craquelins.

—

Pain grillé aux œufs et noix

Préparation : 15 minutes — **Cuisson :** 10 minutes — **Quantité :** 4 portions

6	œufs
1	petite baguette de pain nature ou aux canneberges
150 g	de fromage de chèvre
80 ml	(⅓ de tasse) de crème à fouetter 35 %
15 ml	(1 c. à soupe) de ciboulette hachée
80 ml	(⅓ de tasse) de pacanes en morceaux
60 ml	(¼ de tasse) de sirop d'érable
	Poivre du moulin au goût

—

1. Déposer les œufs dans une casserole, couvrir d'eau froide et porter à ébullition à feu moyen. Cuire 10 minutes. Refroidir les œufs sous l'eau très froide, écaler et trancher.

2. Couper la baguette en quatre morceaux, puis tailler chacun des morceaux en deux sur l'épaisseur. Griller au grille-pain.

3. Dans un bol, mélanger le fromage de chèvre avec la crème et la ciboulette. Tartiner les pains de ce mélange. Répartir les tranches d'œufs sur les pains et parsemer de pacanes.

4. Arroser d'un filet de sirop d'érable et poivrer.

—

Salade de halloumi grillé aux pommes et pacanes caramélisées

Préparation : 30 minutes — **Cuisson :** 12 minutes — **Quantité :** 4 portions

Pour les pacanes caramélisées :

250 ml	(1 tasse) de pacanes
60 ml	(¼ de tasse) de sirop d'érable
2,5 ml	(½ c. à thé) de piment d'Espelette
5 ml	(1 c. à thé) de fleur de sel

Pour la vinaigrette :

60 ml	(¼ de tasse) d'huile d'olive
30 ml	(2 c. à soupe) de sirop d'érable
15 ml	(1 c. à soupe) de jus de lime
15 ml	(1 c. à soupe) d'estragon haché
10 ml	(2 c. à thé) de moutarde de Dijon
5 ml	(1 c. à thé) d'ail haché

Pour la salade :

1	pomme
1	carotte
6	radis
500 ml	(2 tasses) de mesclun
1	fromage halloumi (de type Doré-mi) de 250 g
15 ml	(1 c. à soupe) d'huile d'olive

—

1. Préchauffer le four à 180 °C (350 °F).

2. Mélanger les pacanes avec le sirop d'érable et le piment d'Espelette. Déposer sur une plaque de cuisson tapissée d'une feuille de papier parchemin et saupoudrer de fleur de sel. Faire caraméliser au four 12 à 15 minutes. Retirer du four et laisser tiédir.

3. Dans un saladier, mélanger les ingrédients de la vinaigrette.

4. Tailler la pomme, la carotte et les radis en julienne. Déposer dans le saladier avec le mesclun. Remuer.

5. Couper le fromage en quatre tranches. Dans une poêle, chauffer l'huile à feu moyen. Griller les tranches de fromage 1 minute de chaque côté. Tailler les tranches en morceaux.

6. Répartir la salade dans les assiettes. Garnir chacune des portions de morceaux de halloumi et de pacanes caramélisées.

—

Pommes et poires

Avec leur goût sucré et légèrement acidulé, les pommes et les poires relevées grâce à un soupçon d'érable font fureur ! Des tartes jusqu'aux pancakes, en passant par les cupcakes et autres gourmandises alléchantes, cette harmonieuse combinaison ravira le cœur des petits comme celui des grands.

Croustade aux pommes

Préparation : 15 minutes — **Cuisson :** 35 minutes — **Quantité :** de 6 à 8 portions

80 ml	(⅓ de tasse) de cassonade
375 ml	(1 ½ tasse) de flocons d'avoine
80 ml	(⅓ de tasse) de farine
80 ml	(⅓ de tasse) de beurre coupé en dés
8	pommes
15 ml	(1 c. à soupe) de jus de citron
180 ml	(¾ de tasse) de sirop d'érable
2,5 ml	(½ c. à thé) de cannelle (facultatif)

—

1. Préchauffer le four à 190 °C (375 °F).

2. Dans un bol, mélanger la cassonade avec les flocons d'avoine et la farine. Ajouter le beurre et mélanger jusqu'à l'obtention d'une consistance granuleuse.

3. Peler les pommes et les couper en quartiers. Dans un bol, mélanger les pommes avec le jus de citron.

4. Dans une poêle, chauffer le sirop d'érable à feu moyen. Cuire les pommes de 2 à 3 minutes et, si désiré, ajouter la cannelle.

5. Verser les pommes dans un plat de cuisson de 23 cm (9 po). Couvrir avec la préparation aux flocons d'avoine. Cuire au four 35 minutes.

—

LE SAVIEZ-VOUS ?

—

Les pommes et la cuisson

Pour réussir les plats cuisinés avec des pommes, choisissez des variétés spécifiques. On recommande les variétés Cortland, Spartan, Lobo, Empire, Paulared ou Délicieuse jaune pour les tartes, les croustades et les pommes caramélisées. Elles conserveront leur forme et leur belle texture. Pour les potages, les compotes et les sauces, privilégiez les McIntosh et Bella Vista, qui se défont en purée pendant la cuisson.

Pommes au four glacées à l'érable

Préparation : 15 minutes — **Cuisson :** 20 minutes — **Quantité :** 4 portions

4	pommes Délicieuse jaune
30 ml	(2 c. à soupe) de jus de citron
80 ml	(⅓ de tasse) de pacanes en morceaux
80 ml	(⅓ de tasse) de canneberges séchées
30 ml	(2 c. à soupe) de beurre ramolli
80 ml	(⅓ de tasse) de sirop d'érable
1,25 ml	(¼ de c. à thé) de cannelle

—

1. Préchauffer le four à 205 °C (400 °F).

2. Peler et évider les pommes. Couper chaque pomme en six tranches et les badigeonner de jus de citron. Superposer les tranches de chacune des pommes de manière à reproduire la forme du fruit entier.

3. Dans un bol, mélanger les pacanes avec les canneberges, le beurre, 30 ml (2 c. à soupe) de sirop d'érable et la cannelle.

4. Farcir le centre de chacune des pommes avec la préparation. Déposer les pommes sur une plaque de cuisson tapissée d'une feuille de papier parchemin.

5. Cuire au four de 20 à 25 minutes.

6. À la sortie du four, napper les pommes avec le reste du sirop d'érable.

—

LE SAVIEZ-VOUS ?

—

Les canneberges séchées

Avec leurs propriétés antioxydantes plus élevées que celles des canneberges fraîches et leur intéressant apport en fibres, les canneberges séchées constituent une option sensée ! Toutefois, mieux vaut en user avec modération pour rehausser salades, couscous, muffins et biscuits ou pour combler une fringale, car elles contiennent du sucre ajouté. Privilégiez celles naturellement sucrées avec du jus de pomme ou du jus d'orange, offertes dans plusieurs supermarchés.

Pancakes aux pommes caramélisées

Préparation : 15 minutes — **Quantité :** de 4 à 6 portions (16 pancakes)

Pour les pancakes :

500 ml	(2 tasses) de farine
15 ml	(1 c. à soupe) de poudre à pâte
5 ml	(1 c. à thé) de bicarbonate de soude
1,25 ml	(¼ de c. à thé) de sel
30 ml	(2 c. à soupe) de cassonade
2,5 ml	(½ c. à thé) de cannelle
500 ml	(2 tasses) de lait ou de boisson de soya à la vanille
2	œufs
30 ml	(2 c. à soupe) de beurre fondu
15 ml	(1 c. à soupe) d'huile de canola

Pour les pommes caramélisées :

3	pommes Cortland
30 ml	(2 c. à soupe) de beurre
125 ml	(½ tasse) de sirop d'érable

—

1. Dans un grand bol, mélanger les ingrédients secs et former un puits au centre.

2. Dans un autre bol, fouetter le lait avec les œufs et le beurre fondu. Verser la préparation liquide dans le puits des ingrédients secs. Incorporer graduellement la farine aux ingrédients liquides en fouettant, puis mélanger jusqu'à l'obtention d'une pâte lisse.

3. Préchauffer le four à 120°C (250°F).

4. Dans une poêle, chauffer l'huile à feu doux-moyen. Verser 60 ml (¼ de tasse) de préparation par pancake. Cuire 1 minute ou jusqu'à ce que de petites bulles se forment à la surface. Retourner et cuire 30 secondes. Déposer les pancakes sur une plaque de cuisson et réserver au four. Répéter l'opération avec le reste de la pâte.

5. Peler et couper les pommes en dés.

6. Dans une autre poêle, faire fondre le beurre à feu doux-moyen. Lorsque le beurre commence à former des bulles, ajouter les pommes dans la poêle et cuire 2 minutes, jusqu'à ce qu'elles soient légèrement dorées.

7. Verser le sirop d'érable et porter à ébullition. Laisser les pommes caraméliser de 1 à 2 minutes à feu doux-moyen. Servir avec les pancakes.

—

J'aime parce que... ♡

On peut congeler les pancakes

Faites des provisions de pancakes ! Les restants cuits et refroidis se conservent au congélateur dans un contenant fermé hermétiquement, dans un sac de congélation ou dans du papier d'aluminium pendant environ trois mois. Au moment de les manger, faites-les passer directement du congélo au four ou au grille-pain. C'est simple et délicieux !

Cupcakes à la pomme, sauce érable et fleur de sel

Préparation : 50 minutes — **Cuisson :** 25 minutes — **Quantité :** 12 cupcakes

430 ml	(1 ¾ tasse) de farine
15 ml	(1 c. à soupe) poudre à pâte
2	pincées de sel
2,5 ml	(½ c. à thé) de cannelle
15 ml	(1 c. à soupe) de gingembre haché finement
180 ml	(¾ de tasse) de beurre ramolli
125 ml	(½ tasse) de sucre
125 ml	(½ tasse) de sucre d'érable
3	œufs
125 ml	(½ tasse) de lait
1	pomme pelée et râpée

Pour le glaçage :

1	paquet de fromage à la crème de 250 g, ramolli
180 ml	(¾ de tasse) de sucre à glacer

Pour la sauce à l'érable :

250 ml	(1 tasse) de sirop d'érable
125 ml	(½ tasse) de crème à cuisson 35 %
5 ml	(1 c. à thé) de fleur de sel

—

1. Préchauffer le four à 180 °C (350 °F).

2. Mélanger la farine avec la poudre à pâte, le sel, la cannelle et le gingembre. Réserver.

3. À l'aide du batteur électrique, fouetter le beurre avec le sucre et le sucre d'érable jusqu'à l'obtention d'une consistance crémeuse.

4. Incorporer les œufs un à un, puis mélanger avec les ingrédients secs en alternant avec le lait. Incorporer la pomme.

5. Déposer des moules en papier dans les alvéoles d'un moule à muffins. Répartir la pâte dans les moules. Cuire au four 25 minutes, jusqu'à ce qu'un cure-dent inséré au centre d'un cupcake en ressorte propre. Démouler et laisser tiédir sur une grille.

6. Pendant ce temps, préparer le glaçage. À l'aide du batteur électrique, fouetter le fromage à la crème et incorporer graduellement le sucre à glacer, jusqu'à homogénéité.

7. Dans une casserole, chauffer le sirop d'érable de 6 à 8 minutes à feu moyen. Retirer du feu et incorporer la crème. Laisser tiédir 15 minutes.

8. Glacer les cupcakes, puis les napper de sauce à l'érable. Si désiré, garnir chacun d'eux d'un croquant au caramel d'érable.

—

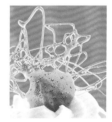

J'aime avec... Croquant au caramel d'érable

Dans une casserole, chauffer 180 ml (¾ de tasse) de sirop d'érable à feu moyen jusqu'à ce que sa température atteigne 120 °C (250 °F) sur un thermomètre à bonbons. Retirer du feu et laisser tiédir. Tapisser une plaque d'une feuille de papier parchemin. Tremper une fourchette dans le caramel et la secouer au-dessus du papier parchemin afin de former des motifs. Laisser figer à température ambiante.

Beurre de pomme à l'érable

Préparation : 15 minutes — **Cuisson :** 35 minutes — **Quantité :** 750 ml (3 tasses)

8	pommes McIntosh ou Cortland
125 ml	(½ tasse) de sirop d'érable
125 ml	(½ tasse) de beurre non salé
15 ml	(1 c. à soupe) de jus de citron

—

1. Peler et épépiner les pommes, puis les couper en cubes.

2. Déposer tous les ingrédients dans une casserole. Porter à ébullition et cuire à feu doux de 35 à 40 minutes, jusqu'à ce que les pommes soient bien cuites.

3. À l'aide du mélangeur électrique, réduire la préparation en une purée lisse et onctueuse.

4. Laisser refroidir complètement, puis répartir dans des contenants hermétiques. Ce beurre de pomme se conserve jusqu'à trois semaines au réfrigérateur. Il peut aussi être congelé jusqu'à trois mois.

—

Tarte aux pommes en pâte phyllo

Préparation : 30 minutes — **Cuisson :** 25 minutes — **Quantité :** 8 portions

30 ml	(2 c. à soupe) de beurre
7	grosses pommes Cortland pelées, évidées et coupées en tranches épaisses
60 ml	(¼ de tasse) de sirop d'érable
3	feuilles de pâte phyllo
30 ml	(2 c. à soupe) de beurre fondu

—

1. Dans une poêle antiadhésive, faire fondre le beurre. Ajouter les pommes et cuire 10 minutes, jusqu'à ce qu'elles soient tendres.

2. Ajouter le sirop d'érable et poursuivre la cuisson 2 minutes, jusqu'à ce qu'il bouillonne légèrement.

3. Préchauffer le four à 190 °C (375 °F).

4. Sur le plan de travail, étendre une feuille de pâte phyllo et la badigeonner de beurre fondu. Déposer une deuxième feuille sur la première et badigeonner de beurre fondu de nouveau. Ajouter la troisième feuille et badigeonner de beurre fondu.

5. Déposer les feuilles de pâte dans un moule à tarte à fond amovible d'environ 27 cm (10 ½ po) de diamètre sur 2,5 cm (1 po) de hauteur en laissant dépasser l'excédent de pâte. Disposer les tranches de pommes sur la pâte et replier grossièrement l'excédent de pâte du pourtour.

6. Cuire au four de 25 à 30 minutes, jusqu'à ce que la pâte soit dorée. Déguster la tarte tiède ou froide.

—

Croustillant pommes-canneberges

Préparation : 30 minutes — **Cuisson** : 45 minutes — **Quantité** : de 6 à 8 portions

Pour la sauce à l'érable et fruits :

250 ml	(1 tasse) de sirop d'érable
250 ml	(1 tasse) de crème à cuisson 15 %
45 ml	(3 c. à soupe) de fécule de maïs
6	pommes Délicieuse jaune
125 ml	(½ tasse) de canneberges séchées

Pour le croustillant :

375 ml	(1 ½ tasse) de flocons d'avoine
125 ml	(½ tasse) de cassonade
80 ml	(⅓ de tasse) de farine
80 ml	(⅓ de tasse) de pacanes hachées
80 ml	(⅓ de tasse) de beurre ramolli
2,5 ml	(½ c. à thé) de cannelle

—

1. Préchauffer le four à 180 °C (350 °F).

2. Dans une casserole, porter à ébullition le sirop d'érable, puis laisser mijoter à feu doux-moyen 5 minutes.

3. Incorporer la crème et porter de nouveau à ébullition.

4. Délayer la fécule de maïs dans un peu d'eau froide. Incorporer au contenu de la casserole et remuer jusqu'à épaississement. Retirer du feu et laisser tiédir.

5. Peler et émincer les pommes. Ajouter dans la sauce à l'érable avec les canneberges.

6. Verser la préparation dans un plat de cuisson non beurré de 20 cm (8 po) ou dans une assiette à tarte.

7. Dans un bol, mélanger les ingrédients du croustillant jusqu'à l'obtention d'une préparation granuleuse. Répartir sur la préparation aux pommes. Cuire au four 45 minutes, jusqu'à ce que le croustillant soit doré.

—

Baluchons au fromage fondant, poires et gingembre

Préparation : 30 minutes — **Cuisson :** 13 minutes — **Quantité :** 8 portions

4	feuilles de pâte phyllo
60 ml	(¼ de tasse) de beurre fondu

Pour la garniture :

15 ml	(1 c. à soupe) d'huile d'olive
45 ml	(3 c. à soupe) d'échalotes sèches hachées
4	poires pelées et coupées en dés
15 ml	(1 c. à soupe) de gingembre haché
15 ml	(1 c. à soupe) de sirop d'érable
	Sel et poivre au goût
60 ml	(¼ de tasse) de tomates séchées émincées
200 g	de cheddar au porto ou de Migneron coupé en dés

—

1. Dans une poêle, chauffer l'huile à feu moyen. Cuire les échalotes de 1 à 2 minutes.

2. Ajouter les poires et le gingembre. Cuire de 2 à 3 minutes, jusqu'à tendreté.

3. Verser le sirop d'érable dans la poêle et assaisonner. Remuer.

4. Transférer dans un bol. Ajouter les tomates séchées. Laisser tiédir, puis incorporer les dés de fromage.

5. Préchauffer le four à 190 °C (375 °F).

6. Déposer une feuille de pâte phyllo sur le plan de travail. Couvrir les autres feuilles d'un linge humide afin qu'elles ne s'assèchent pas. Badigeonner la feuille de beurre fondu.

Superposer une deuxième feuille de pâte et répéter l'opération. Faire de même avec les deux dernières feuilles. Retourner l'assemblage afin de badigeonner le dessous de la première feuille.

7. Couper les feuilles superposées en huit carrés. Déposer au centre de chaque carré environ 80 ml (⅓ de tasse) de garniture. Refermer en ramenant la pâte sur la garniture de manière à former un baluchon.

8. Déposer les baluchons sur une plaque de cuisson tapissée de papier parchemin. Cuire au four de 13 à 15 minutes.

—

Délices crémeux

Lorsque la crème est au menu, on raffole de la douce onctuosité qu'elle confère à nos recettes. Mais quand l'érable s'ajoute, on peut alors parler d'un véritable péché mignon! Gageons que vos papilles ne seront pas déçues par ces recettes simplissimes et succulentes!

Crème de rutabaga

Préparation : 15 minutes — **Cuisson :** 20 minutes — **Quantité :** 4 portions

30 ml	(2 c. à soupe) d'huile d'olive
1	blanc de poireau émincé
80 ml	(⅓ de tasse) d'échalotes sèches émincées
1	rutabaga coupé en dés
1 litre	(4 tasses) de bouillon de poulet
80 ml	(⅓ de tasse) de sirop d'érable
125 ml	(½ tasse) de crème à cuisson 15 %
	Sel et poivre au goût

—

1. Dans une casserole, chauffer l'huile à feu moyen. Faire revenir le poireau, les échalotes et le rutabaga 2 minutes.

2. Verser le bouillon et le sirop d'érable. Porter à ébullition. Couvrir et laisser mijoter de 20 à 25 minutes à feu moyen, jusqu'à ce que le rutabaga soit tendre.

3. Transférer la préparation dans le contenant du mélangeur. Mélanger jusqu'à l'obtention d'une consistance homogène.

4. Remettre la préparation dans la casserole et ajouter la crème. Réchauffer de 1 à 2 minutes. Saler et poivrer.

—

LE SAVIEZ-VOUS ?

—

Navet ou rutabaga ?

Le rutabaga, également appelé « chou-navet » ou « chou de Siam », est un légume-racine de la famille des crucifères né d'un croisement entre le chou frisé et le navet. Il se distingue de ce dernier par sa chair jaune et ses feuilles lisses. Très peu calorique, il se consomme cru, en purée, en salade, cuit au four ou en sauté. Tout comme les autres crucifères (chou-fleur, brocoli, chou, etc.), il aiderait à prévenir certains types de cancers.

Escalopes de veau, sauce crémeuse au sirop d'érable

Préparation : 20 minutes — **Cuisson :** 4 minutes — **Quantité :** 4 portions

15 ml	(1 c. à soupe) d'huile de canola
4	escalopes de veau de 150 g (⅓ de lb) chacune
60 ml	(¼ de tasse) d'échalotes sèches hachées
80 ml	(⅓ de tasse) de vin blanc
45 ml	(3 c. à soupe) de sirop d'érable
180 ml	(¾ de tasse) de crème à cuisson 15 %
45 ml	(3 c. à soupe) de tomates séchées coupées en dés
15 ml	(1 c. à soupe) de basilic émincé
—	

1. Dans une poêle, chauffer l'huile à feu moyen. Saisir les escalopes 1 minute de chaque côté. Transférer dans une assiette.

2. Dans la même poêle, cuire les échalotes de 1 à 2 minutes.

3. Verser le vin blanc et laisser mijoter jusqu'à réduction complète du liquide.

4. Ajouter le sirop d'érable, la crème et les tomates séchées. Laisser mijoter à feu doux-moyen de 4 à 5 minutes.

5. Incorporer le basilic, puis remettre les escalopes dans la poêle. Réchauffer 1 minute. Servir immédiatement.

—

J'aime avec...

Chips de prosciuttini à l'érable

Badigeonner 12 tranches de prosciuttini avec 30 ml (2 c. à soupe) de sirop d'érable. Déposer sur une plaque de cuisson tapissée d'une feuille de papier parchemin. Cuire au four de 8 à 10 minutes à 180 °C (350 °F). Servir les chips en à-côté ou les couper en dés et en parsemer les escalopes.

Tarte au sirop d'érable et à la crème

Préparation : 25 minutes — **Cuisson :** 35 minutes — **Quantité :** de 6 à 8 portions

80 ml	(⅓ de tasse) de beurre
125 ml	(½ tasse) de farine
310 ml	(1 ¼ tasse) de crème à cuisson 35 %
375 ml	(1 ½ tasse) de sirop d'érable
2 à 3	gouttes de vanille
350 g	(⅔ de lb) de pâte à tarte décongelée

—

1. Préchauffer le four à 180 °C (350 °F).

2. Dans une casserole, faire fondre le beurre à feu moyen. Saupoudrer de farine et remuer. Incorporer la crème, le sirop d'érable et la vanille en fouettant. Chauffer à feu moyen jusqu'aux premiers frémissements, puis continuer de fouetter jusqu'à épaississement. Retirer du feu et laisser tiédir.

3. Sur une surface farinée, abaisser la pâte en un cercle d'environ 25 cm (10 po) de diamètre. Déposer dans une assiette à tarte de 20 cm (8 po).

4. Verser la préparation sur la pâte. Cuire au four de 35 à 40 minutes, jusqu'à ce que la pâte soit cuite.

—

J'aime avec... ♡

Une pâte à tarte maison

Bien moins compliqué qu'on ne le pense de faire sa propre pâte à tarte ! Dans le contenant du robot culinaire, mélanger 310 ml (1 ¼ tasse) de farine avec 60 ml (¼ de tasse) de sucre à glacer, 80 ml (⅓ de tasse) de beurre et 1 pincée de sel jusqu'à l'obtention d'une préparation granuleuse. Incorporer 1 œuf battu et 30 ml (2 c. à soupe) d'eau. Mélanger jusqu'à l'obtention d'une boule de pâte. Réserver 30 minutes au frais avant d'abaisser.

Poitrines de poulet, crème d'érable et moutarde

Préparation : 20 minutes – **Cuisson :** 10 minutes – **Quantité :** 4 portions

15 ml	(1 c. à soupe) de beurre
4	poitrines de poulet sans peau
60 ml	(¼ de tasse) d'échalotes sèches hachées
125 ml	(½ tasse) de vin blanc
125 ml	(½ tasse) de crème à cuisson 15 %
30 ml	(2 c. à soupe) de sirop d'érable
15 ml	(1 c. à soupe) de moutarde de Dijon
15 ml	(1 c. à soupe) de moutarde à l'ancienne
	Sel et poivre au goût

—

1. Dans une poêle, faire fondre le beurre à feu moyen. Faire dorer les poitrines de 1 à 2 minutes de chaque côté.

2. Ajouter les échalotes et cuire 1 minute.

3. Verser le vin blanc et laisser mijoter jusqu'à ce que le liquide ait réduit de moitié.

4. Incorporer le reste des ingrédients. Couvrir et cuire de 10 à 12 minutes à feu doux-moyen, en retournant les poitrines à mi-cuisson, jusqu'à ce que l'intérieur de la chair ait perdu sa teinte rosée.

—

Crème brûlée vanille et érable

Préparation : 20 minutes — **Cuisson :** 30 minutes — **Réfrigération :** 2 heures — **Quantité :** 8 portions

500 ml	(2 tasses) de crème à cuisson 35 %
1	gousse de vanille ou 5 ml (1 c. à thé) de vanille liquide
6	jaunes d'œufs
125 ml	(½ tasse) de sucre d'érable
60 ml	(¼ de tasse) de sucre
—	

1. Préchauffer le four à 180 °C (350 °F).

2. Verser la crème dans une casserole. Fendre la gousse de vanille en deux et, au-dessus de la casserole, détacher les grains avec la pointe d'un couteau. Chauffer la crème, la gousse et les grains de vanille (ou la vanille liquide) à feu moyen jusqu'aux premiers frémissements. Retirer la casserole du feu. Retirer la gousse de la préparation, puis la rincer et l'emballer dans une pellicule plastique. Placer au congélateur pour une utilisation ultérieure.

3. Dans un bol, fouetter les jaunes d'œufs avec le sucre d'érable. Incorporer la crème.

4. Répartir la préparation dans des ramequins. Déposer les ramequins dans un grand plat creux allant au four. Verser de l'eau dans le plat jusqu'à mi-hauteur des ramequins. Cuire au four de 30 à 35 minutes, jusqu'à ce que le centre des crèmes soit pris.

5. Retirer les ramequins du bain-marie. Laisser tiédir, couvrir et réfrigérer de 2 à 3 heures.

6. Au moment de servir, saupoudrer chacun des ramequins de sucre. Caraméliser à l'aide d'un chalumeau ou sur la grille supérieure du four à la position « gril » (*broil*).

—

Crème érable, mascarpone et porto

Préparation : 20 minutes — **Quantité :** 4 portions

125 ml	(½ tasse) de crème à fouetter 35 %
125 g	de fromage à la crème, ramolli
500 ml	(2 tasses) de mascarpone
500 ml	(2 tasses) de porto rouge
45 ml	(3 c. à soupe) de sirop d'érable
125 ml	(½ tasse) de sucre
—	

1. À l'aide du batteur électrique, fouetter la crème jusqu'à ce qu'elle commence à épaissir.

2. Incorporer le fromage à la crème et le mascarpone en pliant délicatement la préparation à l'aide d'une spatule.

3. Ajouter 125 ml (½ tasse) de porto et le sirop d'érable.

4. Répartir dans des coupes à dessert et réserver au réfrigérateur.

5. Dans une casserole, chauffer le reste du porto avec le sucre à feu moyen jusqu'à l'obtention d'un sirop.

6. Retirer du feu et laisser tiédir 1 minute. Répartir sur chacune des portions.

—

Fondue au sirop d'érable et amandes

Préparation : 10 minutes — **Quantité :** 4 portions

500 ml	(2 tasses) de sirop d'érable
500 ml	(2 tasses) de crème à cuisson 15 %
60 ml	(¼ de tasse) de fécule de maïs
45 ml	(3 c. à soupe) d'amandes concassées
—	

1. Dans une casserole, porter le sirop d'érable à ébullition.

2. Incorporer la crème.

3. Délayer la fécule de maïs dans un peu d'eau froide. Ajouter dans la casserole avec les amandes. Cuire 5 minutes à feu doux.

4. Transférer la fondue dans un plat à fondue dessert préalablement réchauffé sous l'eau chaude. Servir avec des fruits ou des biscuits.

—

Petits fruits

Les petits fruits sont à l'honneur! Quoi de mieux que ces baies délicieuses aux saveurs légèrement acidulées accompagnées d'un soupçon de sirop doré pour colorer sauces, desserts et brunchs? Une petite douceur que vos convives apprécieront sans aucun doute!

Bavette de bœuf, sauce aux bleuets

Préparation : 20 minutes — **Quantité :** 4 portions

4	bavettes de bœuf de 180 g (environ ⅓ de lb) chacune
15 ml	(1 c. à soupe) d'huile de canola
30 ml	(2 c. à soupe) d'échalotes sèches hachées
60 ml	(¼ de tasse) de sirop d'érable
1	contenant de sauce bordelaise de 300 ml
	Sel et poivre au goût
125 ml	(½ tasse) de bleuets

—

1. Inciser en quadrillé les deux côtés des bavettes dans le sens contraire des fibres.

2. Dans une poêle, chauffer l'huile à feu moyen. Cuire les bavettes de 2 à 3 minutes de chaque côté pour une cuisson saignante. Transférer dans une assiette et couvrir d'une feuille de papier d'aluminium.

3. Dans la même poêle, cuire les échalotes 1 minute.

4. Verser le sirop d'érable et porter à ébullition. Verser la sauce bordelaise. Saler et poivrer. Laisser mijoter de 1 à 2 minutes à feu moyen.

5. Ajouter les bleuets et réchauffer 1 minute.

6. Déposer les bavettes dans les assiettes et napper de sauce.

—

J'aime avec...

Pommes de terre à la grecque

Mélanger 30 ml (2 c. à soupe) d'huile d'olive avec 30 ml (2 c. à soupe) de zestes de citron, 15 ml (1 c. à soupe) d'ail haché, 45 ml (3 c. à soupe) de feuilles d'origan, 1 feuille de laurier et 15 ml (1 c. à soupe) de graines de coriandre. Saler et poivrer. Ajouter 5 pommes de terre taillées en quartiers et remuer pour bien enrober. Déposer les pommes de terre sur une plaque de cuisson tapissée d'une feuille de papier parchemin. Cuire au four de 25 à 30 minutes à 205 °C (400 °F).

Crêpes minces au zeste d'orange, sauce au caramel d'érable

Préparation : 35 minutes — **Quantité :** de 4 à 6 portions (12 crêpes)

Pour les crêpes :

375 ml	(1 ½ tasse) de lait
30 ml	(2 c. à soupe) de beurre fondu
3	œufs
45 ml	(3 c. à soupe) de sucre
15 ml	(1 c. à soupe) de zestes d'orange
1	pincée de sel
250 ml	(1 tasse) de farine
2,5 ml	(½ c. à thé) de vanille
15 ml	(1 c. à soupe) d'huile de canola

Pour la sauce au caramel :

375 ml	(1 ½ tasse) de sirop d'érable
125 ml	(½ tasse) de sirop de maïs
½	boîte de lait condensé sucré de 300 ml

—

1. Dans le contenant du mélangeur électrique, verser le lait et le beurre fondu. Ajouter les œufs, le sucre, les zestes et le sel. Donner quelques impulsions. Ajouter la farine et la vanille, puis mélanger 1 minute jusqu'à l'obtention d'une pâte lisse.

2. Préchauffer le four à 120°C (250°F).

3. Dans une poêle antiadhésive de 20 cm (8 po), chauffer l'huile à feu moyen. Verser environ 60 ml (¼ de tasse) de pâte par crêpe et incliner la poêle dans tous les sens pour bien en couvrir le fond. Cuire environ 1 minute de chaque côté, jusqu'à ce que la crêpe soit bien dorée. Déposer les crêpes sur une plaque de cuisson et réserver au four. Répéter avec le reste de la pâte.

4. Préparer le caramel d'érable. Dans une casserole, porter à ébullition le sirop d'érable et le sirop de maïs. Chauffer de 5 à 6 minutes, jusqu'à ce que la préparation atteigne une température de 108°C (226°F) sur un thermomètre à cuisson. Retirer du feu et incorporer le lait en remuant avec une cuillère de bois. Servir avec les crêpes.

5. Si désiré, garnir chaque portion de framboises ou de fraises fraîches.

—

LE SAVIEZ-VOUS ?

—

Votre poêle est-elle assez chaude ?

Voici un petit truc simple pour vérifier la température de votre poêle. Enduisez-la d'un peu d'huile ou de beurre et chauffez-la à feu moyen-élevé pendant environ deux minutes. Placez ensuite votre main au-dessus. Si la chaleur est intense sans toutefois vous brûler, la température est bonne. Vous pouvez verser un peu de mélange à crêpes pour vérification : si la pâte forme rapidement des bulles et si le dessous de la crêpe brunit, la poêle est trop chaude. Réduisez alors l'intensité du feu et vous obtiendrez des crêpes parfaites !

Croissants aux petits fruits

Préparation: 10 minutes — **Quantité:** 4 portions

4	croissants
1	contenant de fromage à la crème aux fraises de 250 g
250 ml	(1 tasse) de framboises
250 ml	(1 tasse) de bleuets
80 ml	(⅓ de tasse) de sirop d'érable

—

1. Couper les croissants en deux sur l'épaisseur. Si désiré, faire chauffer de 2 à 3 minutes dans un four préchauffé à 180°C (350°F).

2. Tartiner les croissants de fromage à la crème aux fraises.

3. Répartir les fruits sur la base de chacun des croissants et arroser d'un filet de sirop d'érable. Fermer les croissants.

—

LE SAVIEZ-VOUS?

—

Le fromage à la crème aux fraises

Pour profiter de la même texture douce du fromage à la crème original, mais avec une note fruitée, le fromage à la crème aux fraises est tout désigné! Il se distingue par un ajout de vrais fruits au moment de sa fabrication. Pour les gens soucieux de leur ligne, il est possible de se le procurer en version allégée (46% moins de matières grasses). Outre le produit commercial offert en contenants de 250 g, vous pouvez concocter votre tartinade maison avec 4 à 5 fraises écrasées passées au tamis ou encore avec 80 ml (⅓ de tasse) de coulis de fraises mélangé avec du fromage à la crème nature. Un pur délice au petit-déjeuner!

Pavlova aux fraises, caramel d'érable à l'orange

Préparation : 45 minutes – **Cuisson :** 2 heures 30 minutes – **Quantité :** 8 portions

Pour la meringue :

4	blancs d'œufs
250 ml	(1 tasse) de sucre
15 ml	(1 c. à soupe) de zestes de citron
5 ml	(1 c. à thé) de vinaigre de vin blanc
15 ml	(1 c. à soupe) de fécule de maïs

Pour le caramel à l'orange :

180 ml	(¾ de tasse) de sirop d'érable
80 ml	(⅓ de tasse) de jus d'orange
15 ml	(1 c. à soupe) de zestes d'orange

Pour la garniture aux fraises :

375 ml	(1 ⅓ tasse) de crème à fouetter 35 %
30 ml	(2 c. à soupe) de sucre à glacer
2 à 3	gouttes de vanille
1	contenant de fraises de 450 g, coupées en deux

—

1. Préchauffer le four à 120 °C (250 °F).

2. À l'aide du batteur électrique, battre à vitesse élevée les blancs d'œufs en neige ferme.

3. En fouettant à basse vitesse, incorporer graduellement le sucre, les zestes, le vinaigre et la fécule. Mélanger quelques secondes.

4. Étaler la meringue en un cercle de 25 cm (10 po) sur une plaque de cuisson tapissée d'une feuille de papier parchemin. Creuser légèrement le centre de la meringue. Cuire au four 2 heures 30 minutes. Retirer du four et laisser tiédir.

5. Préparer le caramel. Dans une casserole, chauffer le sirop d'érable à feu moyen jusqu'à ce que sa température atteigne 115 °C (240 °F) sur un thermomètre à bonbons. Incorporer le jus et les zestes d'orange. Retirer du feu et laisser tiédir.

6. À l'aide du batteur électrique, fouetter la crème à vitesse élevée jusqu'à l'obtention de pics fermes. Incorporer le sucre à glacer et la vanille en pliant délicatement la préparation à l'aide d'une spatule. Couvrir et réserver au frais.

7. Dans un bol, mélanger les fraises avec le tiers du caramel à l'orange.

8. Au moment de servir, garnir la meringue de crème fouettée et de fraises. Napper avec le reste du caramel à l'orange.

—

LE SAVIEZ-VOUS ? —

Qu'est-ce qu'une pavlova ?

La pavlova est un dessert créé en l'honneur de la danseuse russe Anna Pavlova. Il se présente sous forme de meringue croquante dont le cœur est garni de crème fouettée et de fruits. Pour le réussir, il est important de creuser légèrement le centre de la meringue afin de former un nid qui accueillera la garniture.

Pancakes classiques

Préparation : 35 minutes — **Quantité :** 4 portions (16 pancakes)

Pour les pancakes :

250	(1 tasse) de farine tout usage
250	(1 tasse) de farine de blé
60 ml	(¼ de tasse) de sucre
15 ml	(1 c. à soupe) de poudre à pâte
2,5 ml	(½ c. à thé) de sel
2	œufs battus
500 ml	(2 tasses) de lait de beurre (babeurre)
60 ml	(¼ de tasse) de beurre fondu
15 ml	(1 c. à soupe) d'huile de canola

Pour la garniture :

250 ml	(1 tasse) de fraises coupées en morceaux
	Sirop d'érable au goût

—

1. Dans un grand bol, mélanger les ingrédients secs. Faire un puits au centre.

2. Dans un autre bol, mélanger les œufs battus avec le lait de beurre et le beurre fondu. Verser dans le puits des ingrédients secs et incorporer graduellement en fouettant jusqu'à l'obtention d'une pâte lisse et homogène.

3. Préchauffer le four à 120 °C (250 °F).

4. Dans une poêle, chauffer l'huile à feu doux-moyen. Verser 60 ml (¼ de tasse) de pâte par pancake. Cuire 1 minute ou jusqu'à ce que de petites bulles se forment à la surface. Retourner et cuire 30 secondes. Déposer les pancakes sur une plaque de cuisson et réserver au four. Répéter l'opération avec le reste de la pâte.

5. Au moment de servir, garnir les pancakes de fraises et de sirop d'érable.

—

LE SAVIEZ-VOUS ?

—

Quelle est la différence entre crêpes et pancakes ?

Les crêpes d'origine bretonne telles que nous les connaissons se distinguent par leur pâte très fine et mince. L'aspect et le goût des pancakes diffèrent de ceux des crêpes en raison de leur diamètre plus petit et de la consistance de leur pâte, qui est plus épaisse. Cela s'explique par l'ajout d'agent levant, comme le bicarbonate de soude ou la poudre à pâte, alors que la pâte à crêpes n'en contient pas.

Tarte aux bleuets frais

Préparation : 25 minutes – **Cuisson :** 8 minutes – **Quantité :** de 6 à 8 portions

Pour la croûte :

375 ml	(1 ½ tasse) de chapelure de biscuits Graham
60 ml	(¼ de tasse) d'amandes moulues
60 ml	(¼ de tasse) de pacanes moulues
60 ml	(¼ de tasse) de beurre ramolli
60 ml	(¼ de tasse) de sucre
1	blanc d'œuf

Pour la garniture :

375 g	de fromage à la crème, ramolli
60 ml	(¼ de tasse) de sucre
30 ml	(2 c. à soupe) de zestes d'orange
60 ml	(¼ de tasse) de crème sure
60 ml	(¼ de tasse) de sirop d'érable
500 ml	(2 tasses) de bleuets frais
15 ml	(1 c. à soupe) de sucre à glacer

—

1. Préchauffer le four à 180 °C (350 °F). Mélanger la chapelure de biscuits avec les amandes et les pacanes moulues. Incorporer le beurre, le sucre et le blanc d'œuf.

2. Répartir uniformément, puis presser cette préparation dans le fond et sur les parois d'une assiette à tarte au fond amovible de 23 cm (9 po). Cuire au four de 8 à 10 minutes. Retirer et laisser tiédir.

3. À l'aide du robot culinaire, mélanger le fromage à la crème avec le sucre et les zestes. Incorporer la crème sure et le sirop d'érable. Étaler la préparation dans la croûte.

4. Garnir de bleuets et saupoudrer de sucre à glacer à l'aide d'un tamis fin.

—

J'aime parce que...

On fait le plein d'antioxydants !

Le bleuet se classe bon premier parmi les petits fruits pour ses propriétés antioxydantes. Les flavonoïdes, composés antioxydants les plus puissants du bleuet, aident à combattre les radicaux libres et à prévenir plusieurs maladies chroniques et cardiovasculaires ainsi que certains cancers. Le bleuet sauvage en contiendrait davantage que le bleuet cultivé. Que ce soit pour ses propriétés antioxydantes, pour son apport en vitamine C et en potassium ou encore pour son goût délicieux, n'hésitez pas à intégrer ce super aliment à votre quotidien !

Brie au caramel balsamique et fraises

Préparation : 15 minutes — **Cuisson :** 30 minutes — **Quantité :** 4 portions

125 ml	(½ tasse) de vinaigre balsamique
125 ml	(½ tasse) de sirop d'érable
8	fraises coupées en dés
30 ml	(2 c. à soupe) de noix de pin
15 ml	(1 c. à soupe) de basilic émincé
1	brie double crème de 450 g
1	baguette de pain coupée en cubes

—

1. Dans une casserole, porter à ébullition le vinaigre balsamique avec le sirop d'érable à feu moyen. Laisser mijoter 10 minutes à feu doux, jusqu'à l'obtention d'un mélange sirupeux.

2. Dans un bol, mélanger les fraises avec les noix de pin, le basilic et la préparation au sirop d'érable. Réserver au frais.

3. Préchauffer le four à 190 °C (375 °F).

4. Déposer le fromage dans un récipient de service allant au four ou dans un caquelon à brie. Cuire au four 15 minutes.

5. Retirer du four. Répartir le mélange aux fraises sur le fromage. Couvrir, remettre au four et cuire 5 minutes.

6. Déposer le caquelon sur la table et tremper les croûtons de pain dans le brie fondu.

—

Verrines aux bleuets
et fromage à la crème

Préparation : 15 minutes — **Cuisson :** 8 minutes — **Quantité :** 4 verrines

45 ml	(3 c. à soupe) de sirop d'érable
80 ml	(⅓ de tasse) d'amandes en bâtonnets
2	contenants de fromage fouetté à la crème de 150 g chacun
15 ml	(1 c. à soupe) de zestes d'orange
125 ml	(½ tasse) de coulis de framboises
375 ml	(1 ½ tasse) de bleuets
250 ml	(1 tasse) de framboises
1	bombonne de crème fouettée de 225 g
4	feuilles de menthe (facultatif)

—

1. Préchauffer le four à 180 °C (350 °F).

2. Mélanger 15 ml (1 c. à soupe) de sirop d'érable avec les amandes. Déposer sur une plaque de cuisson tapissée d'une feuille de papier parchemin. Cuire au four de 8 à 10 minutes.

3. Dans un bol, mélanger le fromage à la crème avec les zestes et le reste du sirop d'érable.

4. Répartir la moitié du coulis dans quatre verrines. Ajouter la préparation au fromage à la crème. Garnir de bleuets, de framboises et verser le reste de coulis. Ajouter les amandes caramélisées. Décorer de crème fouettée et, si désiré, de feuilles de menthe.

—

Touche chocolatée

Mmmm... Le généreux cacao qui fond doucement
sur la langue et qui chatouille notre palais ! Et que dire
des plaisirs sucrés qui amalgament finesse chocolatée
et délice à l'érable ? De la pure gourmandise !
Voici une déclinaison de desserts irrésistibles
qui vous mettront l'eau à la bouche à coup sûr !

Tartelettes érable, orange et chocolat

Préparation: 30 minutes — **Réfrigération**: 1 heure
Cuisson: 35 minutes — **Quantité**: 8 portions

100 g	de chocolat noir à l'orange (de type Lindt)

Pour la pâte:

2	jaunes d'œufs
80 ml	(⅓ de tasse) de sucre
45 ml	(3 c. à soupe) d'eau froide
430 ml	(1 ¾ tasse) de farine
125 ml	(½ tasse) de beurre ramolli

Pour la garniture:

250 ml	(1 tasse) de sirop d'érable
180 ml	(¾ de tasse) de lait évaporé 2%
125 ml	(½ tasse) de cassonade
80 ml	(⅓ de tasse) de noix hachées
15 ml	(1 c. à soupe) de fécule de maïs
2	œufs

—

1. Préchauffer le four à 180°C (350°F).

2. Dans un bol, fouetter les jaunes d'œufs avec le sucre et l'eau.

3. Déposer la farine et le beurre dans le contenant du robot culinaire. Mélanger afin d'obtenir une préparation granuleuse.

4. Ajouter le mélange de jaunes d'œufs. Mélanger jusqu'à l'obtention d'une boule de pâte. Couvrir et réserver au frais 1 heure.

5. Sur une surface farinée, abaisser la pâte en un rectangle d'environ 35 cm x 19 cm (14 po x 7 ½ po). Tailler en huit cercles de 8 cm (3 ¼ po) de diamètre et déposer dans huit moules à tartelettes de 7,5 cm (3,5 po) de diamètre. Piquer la pâte avec une fourchette.

6. Dans un bol, mélanger les ingrédients de la garniture. Déposer un carré de chocolat au centre de chacune des tartelettes, puis répartir la garniture.

7. Cuire au four de 35 à 40 minutes.

—

J'aime aussi... En version 100% chocolat

Si vous raffolez moins du chocolat à l'orange, vous pouvez le remplacer par du chocolat noir à 70% de cacao. Vous pouvez également varier les parfums: chocolat noir à la fleur de sel, aux framboises, aux amandes, au piment d'Espelette… Les possibilités sont nombreuses! Toutefois, évitez le chocolat au lait ou le chocolat blanc, qui risqueraient de changer la texture de la recette et d'être trop sucrés.

Cake pops choco-beurre d'érable

Préparation : 35 minutes – **Cuisson :** 35 minutes – **Congélation :** 15 minutes
Réfrigération : 2 heures – **Quantité :** 18 cake pops

Pour le gâteau :

180 ml	(¾ de tasse) de farine
80 ml	(⅓ de tasse) de sucre
5 ml	(1 c. à thé) de poudre à pâte
1,25 ml	(¼ de c. à thé) de bicarbonate de soude
1	pincée de sel
1	œuf
125 ml	(½ tasse) de lait
60 ml	(¼ de tasse) d'huile de canola
5 ml	(1 c. à thé) de vanille

Pour lier :

125 ml	(½ tasse) de fromage à la crème, ramolli
60 ml	(¼ de tasse) de beurre d'érable

Pour la décoration :

250 g	de chocolat noir 70 %
	Noix hachées au goût
	Sucre d'érable au goût

1. Préchauffer le four à 180 °C (350 °F).

2. Dans un bol, mélanger les ingrédients secs du gâteau.

3. Dans un autre bol, fouetter l'œuf avec le lait, l'huile et la vanille. Incorporer aux ingrédients secs.

4. Beurrer un moule à pain et y verser la préparation. Cuire au four 35 minutes. Laisser tiédir. Démouler sur une grille et laisser refroidir.

5. Au-dessus d'un grand bol, émietter le gâteau avec les doigts.

6. Fouetter le fromage avec le beurre d'érable. Incorporer au gâteau émietté en remuant avec une spatule jusqu'à l'obtention d'une pâte.

7. Façonner 18 boules en utilisant environ 30 ml (2 c. à soupe) de pâte pour chacune d'elles. Déposer sur une plaque de cuisson recouverte de papier parchemin et congeler 15 minutes.

8. Dans un petit bol, faire fondre environ 60 g de chocolat noir au micro-ondes à puissance moyenne.

9. Tremper l'extrémité d'un bâtonnet à sucette dans le chocolat fondu, puis l'insérer dans une boule de pâte. Répéter avec 17 autres bâtonnets et le reste des boules.

10. Réfrigérer les cake pops pour un minimum de 2 heures.

11. Une fois ce délai écoulé, faire fondre le reste du chocolat dans un bain-marie. Tremper un cake pop à la fois dans le chocolat en prenant soin de bien l'enrober. Parsemer immédiatement de noix ou de sucre d'érable avant que le chocolat ne fige. Pour maintenir le cake pop à la verticale, le piquer dans un grand bol rempli de sel ou de sucre. Répéter avec le reste des cake pops.

12. Pour réaliser des motifs en chocolat blanc, suivre les indications présentées ci-dessous.

C'EST FACILE !

Créer des motifs en chocolat blanc

Pour réaliser de jolis motifs en chocolat blanc, faire fondre de 50 à 75 g de chocolat blanc dans un bain-marie, en remuant. Verser le chocolat fondu dans un sac en plastique épais et refermable de format moyen. Presser pour diriger le chocolat dans l'un des coins inférieurs. Tordre la partie vide du sac afin d'en retirer l'air. À l'aide d'un cure-dent, percer le coin du sac où se trouve le chocolat. Presser sur le sac pour en extraire petit à petit le chocolat et dessiner les motifs désirés sur les cakes pop. Laisser figer.

Mousse érable et citron en coupelles en chocolat

Préparation : 35 minutes — Réfrigération : 30 minutes — Quantité : 4 portions

Pour les coupelles en chocolat :

150 g	de chocolat noir 70 %

Pour la mousse :

5 ml	(½ c. à thé) de gélatine sans saveur
30 ml	(2 c. à soupe) d'eau froide
1	jaune d'œuf
125 ml	(½ tasse) de sirop d'érable
80 ml	(⅓ de tasse) de crème à cuisson 35 %
1,25 ml	(¼ de c. à thé) de vanille
15 ml	(1 c. à soupe) de zestes de citron
125 ml	(½ tasse) de crème à fouetter 35 %
125 ml	(½ tasse) de liqueur de whisky et de sirop d'érable (de type Sortilège ou Coureur des Bois)

—

1. Faire fondre le chocolat au bain-marie.

2. À l'aide d'un pinceau, badigeonner les parois intérieures de 4 à 6 moules à muffins en papier ou en silicone de plusieurs couches de chocolat fondu. Laisser refroidir au réfrigérateur entre chaque couche. Réfrigérer de 30 à 40 minutes. Retirer délicatement les moules pour démouler les coupelles.

3. Laisser gonfler la gélatine dans l'eau.

4. Dans une casserole, fouetter le jaune d'œuf avec le sirop d'érable, la crème à cuisson et la vanille. Chauffer à feu moyen jusqu'aux premiers frémissements en remuant constamment.

5. Incorporer la gélatine et les zestes. Retirer du feu et laisser tiédir.

6. À l'aide du batteur électrique, fouetter la crème à vitesse élevée jusqu'à l'obtention de pics fermes.

7. Incorporer la crème fouettée à la préparation à l'érable en pliant délicatement à l'aide d'une spatule.

8. Répartir le mélange dans les coupelles en chocolat. Verser un peu de liqueur de whisky et de sirop d'érable sur chacune des coupelles. Si désiré, garnir de noix caramélisées.

—

J'aime avec...

Noix caramélisées cannelle-érable

Dans une poêle, laisser mijoter 125 ml (½ tasse) de sirop d'érable avec 5 ml (1 c. à thé) de cannelle et 125 ml (½ tasse) de noix de Grenoble ou de pacanes en morceaux de 5 à 6 minutes à feu doux-moyen. Verser sur une plaque de cuisson tapissée de papier parchemin et laisser tiédir. Une fois la préparation bien refroidie, la briser en morceaux.

Gâteau Napoléon

Préparation : 25 minutes – **Réfrigération** : 3 heures – **Quantité** : de 8 à 10 portions

500 ml	(2 tasses) de lait
1	paquet de pouding instantané au chocolat de 113 g
250 ml	(1 tasse) de crème à fouetter 35 %
27	biscuits Graham
125 ml	(½ tasse) de sirop d'érable
2	blancs d'œufs
	Copeaux de chocolat au goût

—

1. À l'aide du batteur électrique, fouetter le lait avec le pouding instantané au chocolat 2 minutes à vitesse moyenne. Laisser reposer 3 minutes.

2. Pendant ce temps, toujours à l'aide du batteur électrique, fouetter la crème à vitesse élevée jusqu'à l'obtention de pics mous.

3. Incorporer la crème fouettée au premier mélange en pliant délicatement la préparation avec une spatule.

4. Couvrir le fond d'un plat carré de 20 cm (8 po) avec 9 biscuits. Verser la moitié de la préparation au chocolat et couvrir de 9 autres biscuits. Répéter afin de former un deuxième étage avec le reste de la mousse au chocolat et des biscuits.

5. Dans une petite casserole, porter le sirop d'érable à ébullition. Laisser mijoter de 3 à 4 minutes, puis retirer du feu.

6. À l'aide du batteur électrique, monter les blancs d'œufs en neige. Sans cesser de battre, incorporer graduellement le sirop d'érable chaud.

7. Étaler cette préparation sur les biscuits et décorer de copeaux de chocolat. Réfrigérer de 3 à 4 heures avant de servir.

—

LE SAVIEZ-VOUS ?
—

Qu'est-ce qu'un gâteau Napoléon ?

On ne s'entend pas sur l'origine exacte de cette recette, mais une légende prétend que ce gâteau était le préféré de Napoléon et qu'il aurait apporté la recette avec lui pendant sa campagne de Russie. Les ingrédients de ce lointain cousin du mille-feuille varient selon les régions et les époques, mais souvent, ce gâteau étagé fait alterner les étages de crème fraîche et de biscuits. Dans cette recette, nous avons utilisé du pouding au chocolat, mais l'on pourrait aussi choisir d'autres saveurs (vanille, caramel, etc.). À noter que ce dessert est meilleur lorsqu'il est préparé la veille !

Recette de Hélène Faucher

Moelleux érable et chocolat

Préparation : 15 minutes — **Cuisson :** 10 minutes — **Quantité :** 12 moelleux

180 ml	(¾ de tasse) de beurre
180 ml	(¾ de tasse) de pépites de chocolat noir mi-sucré
60 ml	(¼ de tasse) de farine
3	jaunes d'œufs
75 ml	(5 c. à soupe) de sirop d'érable
4	œufs
—	

1. Préchauffer le four à 180 °C (350 °F).

2. Beurrer 12 alvéoles d'un moule à muffins. Réserver.

3. Dans une poêle, faire fondre le beurre avec le chocolat à feu doux, jusqu'à l'obtention d'un mélange homogène. Incorporer la farine et les jaunes d'œufs. Réserver.

4. Dans un bol, fouetter énergiquement le sirop d'érable avec les œufs jusqu'à l'obtention d'un mélange crémeux et onctueux. Incorporer ce mélange à la préparation au chocolat.

5. Répartir la préparation dans les alvéoles du moule à muffins et cuire au four 10 minutes. Laisser tiédir, puis démouler délicatement.

—

J'aime avec... De la crème glacée

Pour agrémenter ce délectable dessert, le chef nous conseille de l'escorter de crème glacée à la vanille. Accompagnez le moelleux d'un vin liquoreux ou d'un cidre de glace pour un accord tout en finesse. Succès assuré ! Pour prendre de l'avance, sachez qu'il est possible de cuisiner les moelleux et de les congeler.

Barres granola orange et chocolat

Préparation : 25 minutes — **Cuisson :** 20 minutes — **Réfrigération :** 1 heure — **Quantité :** 20 barres

250 ml	(1 tasse) de flocons d'avoine
250 ml	(1 tasse) de son de blé
125 ml	(½ tasse) de céréales de riz grillé (de type Special K)
125 ml	(½ tasse) de farine tout usage
60 ml	(¼ de tasse) de zestes d'orange
60 ml	(¼ de tasse) de sirop d'érable
125 ml	(½ tasse) de cassonade
60 ml	(¼ de tasse) de beurre
5 ml	(1 c. à thé) de bicarbonate de soude
180 ml	(¾ de tasse) de yogourt à l'orange
80 ml	(⅓ de tasse) de pépites de chocolat au lait
200 g	de chocolat noir 70 %

—

1. Préchauffer le four à 180 °C (350 °F).

2. Dans un bol, mélanger les flocons d'avoine avec le son de blé, les céréales, la farine et la moitié des zestes d'orange.

3. Dans une grande casserole, porter à ébullition le sirop d'érable avec la cassonade et le beurre, en remuant constamment. Laisser mijoter 2 minutes à feu moyen. Retirer du feu et incorporer le bicarbonate de soude.

4. Ajouter les ingrédients secs et bien mélanger. Incorporer le yogourt et les pépites de chocolat.

5. Verser la préparation dans un moule antiadhésif rectangulaire de 28 cm x 18 cm (11 po x 7 po). Égaliser la surface et cuire au four 20 minutes. Retirer du four et laisser tiédir.

6. Faire fondre le chocolat noir dans une casserole ou au micro-ondes et en napper la préparation.

7. Décorer avec le reste des zestes d'orange. Couvrir et réfrigérer 1 heure.

8. Couper en 20 barres.

—

Tartelettes choco-porto

Préparation : 15 minutes — **Réfrigération :** 1 heure 30 minutes — **Quantité :** 12 tartelettes

12	croûtes à tartelettes
1	boîte de lait concentré sucré de 300 ml
85 g	de chocolat non sucré
375 ml	(1 ½ tasse) de porto
60 ml	(¼ de tasse) de sirop d'érable

—

1. Précuire les croûtes à tartelettes au four à 180°C (350°F).

2. Dans une casserole, chauffer le lait concentré sucré avec le chocolat en remuant jusqu'à ce que le chocolat soit fondu. Retirer du feu et laisser tiédir de 3 à 5 minutes.

3. Répartir la préparation dans les croûtes à tartelettes et réfrigérer 1 heure.

4. Dans une petite casserole, verser le porto et le sirop d'érable. Porter à ébullition à feu doux. Laisser réduire de moitié jusqu'à l'obtention d'un sirop. Retirer du feu et laisser tiédir.

5. Napper le dessus des tartelettes avec le sirop. Réfrigérer 30 minutes avant de servir.

—

100 % érable

Rien n'égale le goût unique de l'érable 100 % pur ! Que ce soit en coulis, en gelée, en tire ou en tant qu'ingrédient principal dans un plat, l'érable est mis en vedette pour le plus grand plaisir des becs sucrés ! Profitez des propriétés antioxydantes et des arômes tantôt boisés, tantôt vanillés de cet ingrédient distingué !

Mousse à l'érable

Préparation : 30 minutes — **Réfrigération** : 1 heure — **Quantité** : 4 portions

Pour la gelée d'érable :

125 ml	(½ tasse) d'eau
½	sachet de gélatine sans saveur de 7 g
180 ml	(¾ de tasse) de sirop d'érable

Pour la mousse :

1	sachet de gélatine sans saveur de 7 g
60 ml	(¼ de tasse) d'eau ou d'eau d'érable
4	jaunes d'œufs
250 ml	(1 tasse) de sirop d'érable
250 ml	(1 tasse) de crème à fouetter 35 %
80 ml	(⅓ de tasse) de pacanes en morceaux

—

1. Dans un bol, préparer la gelée d'érable. Mélanger l'eau avec la gélatine et laisser gonfler 5 minutes.

2. Dans une casserole, porter à ébullition le sirop d'érable à feu moyen. Verser l'eau avec la gélatine. Remuer et porter à ébullition de nouveau. Retirer du feu et laisser tiédir.

3. Préparer la mousse. Dans un bol, mélanger la gélatine avec l'eau ou l'eau d'érable et laisser gonfler 5 minutes.

4. Dans un autre bol, fouetter les jaunes d'œufs. Incorporer le sirop d'érable. Verser cette préparation dans une casserole et cuire 10 minutes à feu doux en fouettant jusqu'à l'obtention d'une préparation épaisse et mousseuse.

5. Chauffer la gélatine de 15 à 20 secondes au micro-ondes. Incorporer dans la préparation au sirop d'érable. Laisser tiédir jusqu'à ce que la mousse soit légèrement figée.

6. À l'aide du batteur électrique, fouetter la crème à vitesse élevée jusqu'à l'obtention de pics fermes. Incorporer graduellement à la préparation à l'érable en pliant délicatement à l'aide d'une spatule.

7. Répartir la moitié de la préparation dans quatre verrines. Laisser figer 5 minutes au frais. Répartir la gelée et ajouter les pacanes. Laisser figer de nouveau 5 minutes au frais. Répartir le reste de la mousse. Réfrigérer de 1 à 2 heures.

—

LE SAVIEZ-VOUS ?

—

On trouve de l'eau d'érable en épicerie

Plus besoin d'attendre le printemps : la plupart des supermarchés offrent maintenant de l'eau d'érable (de marque Seva, Oviva et Maple3) à longueur d'année. Fraîche et délicate, l'eau d'érable se boit telle quelle, comme les autres eaux aromatisées. Elle entre également dans la confection de différents délices, tels que cette mousse à l'érable. Peu importe comment on l'aime, c'est un régal à tout coup !

Tartelettes à l'érable

Préparation : 25 minutes — **Réfrigération :** 1 heure
Cuisson : 25 minutes — **Quantité :** 12 tartelettes

Pour la pâte :

430 ml	(1 ¾ tasse) de farine
80 ml	(⅓ de tasse) de sucre
1	pincée de sel
125 ml	(½ tasse) de beurre, ramolli
1	œuf
30 ml	(2 c. à soupe) d'eau

Pour la garniture :

1	œuf
60 ml	(¼ de tasse) de farine
500 ml	(2 tasses) de sirop d'érable
125 ml	(½ tasse) de crème à cuisson 35 %
5 ml	(1 c. à thé) de vanille

Pour décorer :

Pépites d'érable au goût (facultatif)

—

1. Dans le contenant du robot culinaire, mélanger la farine avec le sucre et le sel en donnant quelques impulsions.

2. Ajouter le beurre, l'œuf et l'eau. Mélanger jusqu'à l'obtention d'une boule de pâte. Envelopper dans une pellicule plastique et réfrigérer 1 heure.

3. Préchauffer le four à 180°C (350°F).

4. Dans un bol, fouetter l'œuf avec la farine jusqu'à l'obtention d'une consistance homogène.

5. Incorporer le sirop d'érable, la crème et la vanille.

6. Abaisser la pâte et la tailler en 12 cercles de 11 cm (4 ½ po) de diamètre à l'aide d'un emporte-pièce. Déposer les cercles de pâte dans des moules à tartelettes.

7. Répartir la garniture dans les moules. Cuire au four de 25 à 30 minutes. Retirer du four et laisser tiédir.

8. Si désiré, décorer de crème fouettée (voir recette ci-dessous) et de pépites d'érable.

—

J'aime avec... Crème fouettée aromatisée

À l'aide du batteur électrique, fouetter 180 ml (¾ de tasse) de crème à fouetter 35 % à vitesse élevée jusqu'à l'obtention de pics fermes. Incorporer 15 ml (1 c. à soupe) de sucre à glacer en fouettant quelques secondes. Voici quelques suggestions pour varier la recette de base : incorporer 15 ml (1 c. à soupe) de zestes de citron ou d'orange ou encore 2,5 ml (½ c. à thé) de café soluble. Pour créer une version pour les grands, aromatiser avec 15 ml (1 c. à soupe) de boisson à la crème irlandaise (de type Bailey's) ou de liqueur de whisky et de sirop d'érable (de type Sortilège ou Coureur des Bois).

Profiteroles glacées à l'érable

Préparation : 25 minutes — **Cuisson :** 18 minutes — **Quantité :** 12 profiteroles

180 ml (¾ de tasse) d'eau
80 ml (⅓ de tasse) de beurre ramolli
125 ml (½ tasse) de farine
3 œufs

Pour la garniture :

500 ml (2 tasses) de crème glacée à la vanille

—

1. Préchauffer le four à 200 °C (390 °F).

2. Préparer la pâte à choux. Dans une grande casserole, porter à ébullition l'eau avec le beurre. Incorporer la farine et chauffer à feu doux en remuant jusqu'à l'obtention d'une pâte. Battre vigoureusement jusqu'à ce que la pâte se détache des parois de la casserole. Retirer du feu et incorporer les œufs un par un en remuant énergiquement jusqu'à l'obtention d'une consistance homogène.

3. À l'aide d'une poche à pâtisserie munie d'une douille unie ou cannelée de grosseur moyenne, former 12 rosettes de pâte sur une plaque de cuisson tapissée d'une feuille de papier parchemin, en prenant soin de les espacer (elles vont doubler de volume en cuisant).

4. Cuire au four de 8 à 10 minutes.

5. Lorsque les rosettes ont gonflé, réduire la température du four à 180 °C (350 °F) et prolonger la cuisson de 10 à 15 minutes.

6. Retirer du four et laisser tiédir. Couper le dessus des rosettes et les farcir de crème glacée. Congeler jusqu'au moment de servir.

—

J'aime avec... Sauce à l'érable

Dans une casserole, chauffer à feu moyen 250 ml (1 tasse) de sirop d'érable avec 125 ml (½ tasse) de crème à cuisson 35 % et 15 ml (1 c. à soupe) de fécule de maïs. Remuer jusqu'aux premiers frémissements.

Gâteau au fromage érable et pacanes

Préparation : 25 minutes — **Cuisson** : 1 heure 12 minutes
Réfrigération : 3 heures — **Quantité** : de 6 à 8 portions

400 g	de fromage à la crème, ramolli
250 ml	(1 tasse) de sirop d'érable
4	œufs battus
125 ml	(½ tasse) de crème fraîche
15 ml	(1 c. à soupe) de fécule de maïs
125 ml	(½ tasse) de pacanes entières

Pour la croûte :

375 ml	(1 ½ tasse) de chapelure de biscuits Graham
80 ml	(⅓ de tasse) de beurre fondu
60 ml	(¼ de tasse) de sucre d'érable

—

1. Préchauffer le four à 180 °C (350 °F).

2. Dans un bol, mélanger la chapelure de biscuits Graham avec le beurre fondu et le sucre d'érable.

3. Tapisser un moule à charnière de 20 cm (8 po) d'une feuille de papier parchemin. Répartir uniformément le mélange de chapelure dans le moule et bien presser afin de former une croûte. Cuire au four de 12 à 15 minutes.

4. Dans un autre bol, mélanger le fromage à la crème avec le sirop d'érable. Incorporer les œufs, la crème fraîche et la fécule de maïs. Transférer la préparation dans le moule.

5. Cuire au centre du four 1 heure.

6. Retirer du four et laisser tiédir. Réfrigérer de 3 à 4 heures.

7. Parsemer de pacanes au moment de servir.

—

J'aime avec... Caramel d'érable

Dans une casserole, porter à ébullition 250 ml (1 tasse) de sirop d'érable. Laisser mijoter à feu doux-moyen, sans remuer, jusqu'à ce qu'il atteigne une température de 120 °C (250 °F) sur un thermomètre à bonbons. Retirer du feu et incorporer 80 ml (⅓ de tasse) de crème à cuisson 35 %. Remettre sur le feu et porter de nouveau à ébullition. Retirer du feu et incorporer 30 ml (2 c. à soupe) de beurre. Remuer jusqu'à ce qu'il soit fondu.

Grands-pères à l'érable

Préparation : 10 minutes — **Cuisson :** 15 minutes — **Quantité :** 4 portions

375 ml	(1 ½ tasse) de farine
15 ml	(1 c. à soupe) de poudre à pâte
2,5 ml	(½ c. à thé) de sel
60 ml	(¼ de tasse) de beurre, ramolli
160 ml	(⅔ de tasse) de lait
250 ml	(1 tasse) d'eau
375 ml	(1 ½ tasse) de sirop d'érable

—

1. Dans un bol, mélanger la farine avec la poudre à pâte et le sel.

2. Incorporer le beurre, puis incorporer graduellement le lait. Remuer jusqu'à l'obtention d'une pâte homogène.

3. Dans une casserole, porter à ébullition l'eau avec le sirop d'érable.

4. À l'aide d'une cuillère à crème glacée, prélever la pâte en boules et déposer dans le sirop d'érable bouillant. Couvrir et laisser mijoter à feu doux 15 minutes, sans soulever le couvercle.

—

Crème caramel

Préparation : 20 minutes — **Cuisson :** 30 minutes
Réfrigération : 2 heures — **Quantité :** de 6 à 8 portions

310 ml	(1 ¼ tasse) de sirop d'érable
1 litre	(4 tasses) de lait
6	œufs
250 ml	(1 tasse) de flocons d'érable

—

1. Dans une petite casserole, faire mijoter à feu moyen 180 ml (¾ de tasse) de sirop d'érable, jusqu'à ce qu'il atteigne une température de 113,5 °C (236 °F) sur un thermomètre à bonbons.

2. Répartir le sirop dans six à huit ramequins. Laisser tiédir à température ambiante.

3. Préchauffer le four à 180 °C (350 °F).

4. Dans une petite casserole ou au micro-ondes, faire chauffer le lait, sans le laisser bouillir.

5. À l'aide du batteur électrique, fouetter les œufs avec les flocons d'érable de 1 à 2 minutes.

6. Incorporer le reste du sirop d'érable et le lait chaud.

7. Répartir la préparation dans les ramequins. Déposer les ramequins dans un plat de cuisson profond et verser de l'eau chaude jusqu'à mi-hauteur des ramequins. Cuire au four de 30 à 35 minutes.

8. Sortir le plat du four et retirer les ramequins du plat. Laisser tiédir.

9. Réfrigérer au moins 2 heures avant de servir.

—

Gelée d'érable irrésistible

Préparation : 10 minutes — **Quantité :** 430 ml (1 ¾ tasse)

180 ml (¾ de tasse) d'eau

1 sachet de gélatine sans saveur de 7 g

250 ml (1 tasse) de sirop d'érable

—

1. Dans un petit bol, verser 60 ml (¼ de tasse) d'eau et saupoudrer de gélatine. Laisser gonfler de 3 à 4 minutes.

2. Pendant ce temps, porter à ébullition le reste de l'eau et le sirop d'érable dans une casserole.

3. Retirer du feu et incorporer la gélatine en fouettant.

4. Répartir dans des pots hermétiques et laisser tiédir. Réserver au frais. Cette gelée d'érable se conserve de 2 à 3 semaines au réfrigérateur.

—

Pouding chômeur

Préparation : 25 minutes — **Cuisson :** 30 minutes — **Quantité :** de 6 à 8 portions

375 ml	(1 ½ tasse) de sirop d'érable
375 ml	(1 ½ tasse) de crème à cuisson 35 %
375 ml	(1 ½ tasse) de farine
10 ml	(2 c. à thé) de poudre à pâte
1,25 ml	(¼ de c. à thé) de sel
125 ml	(½ tasse) de beurre, ramolli
125 ml	(½ tasse) de sucre
5 ml	(1 c. à thé) de vanille
2	œufs
60 ml	(¼ de tasse) de lait

—

1. Préchauffer le four à 180 °C (350 °F).

2. Dans une casserole, chauffer le sirop d'érable avec la crème à feu moyen jusqu'aux premiers frémissements. Retirer du feu. Couvrir et réserver.

3. Dans un bol, mélanger la farine avec la poudre à pâte et le sel.

4. À l'aide du batteur électrique, fouetter le beurre avec le sucre et la vanille jusqu'à l'obtention d'une préparation mousseuse.

5. Ajouter les œufs un à un en fouettant entre chaque addition. Incorporer le lait en fouettant.

6. À l'aide d'une spatule, incorporer les ingrédients secs à la préparation aux œufs, puis remuer jusqu'à l'obtention d'une consistance homogène.

7. Verser la pâte dans un moule de 20 cm (8 po) de diamètre et de 7,5 cm (3 po) de haut (ou d'une capacité de 2 litres – 8 tasses). Verser doucement le mélange au sirop d'érable sur la pâte. Cuire au four de 30 à 35 minutes, jusqu'à ce que le gâteau soit doré.

8. Retirer du four et laisser tiédir 30 minutes avant de servir.

—

Index des recettes